Brûlée vive

Souad

Brûlée vive

Avec la collaboration
de Marie-Thérèse Cuny

ISBN : 2-915056-09-9

Le feu était sur moi

Je suis une fille et une fille doit marcher vite, la tête courbée vers le sol, comme si elle comptait ses pas. Son regard ne doit pas se lever, ni s'égarer à droite ou à gauche de son chemin, car si son œil rencontrait celui d'un homme, tout le village la traiterait de « charmuta ».

Si une voisine déjà mariée, une vieille femme ou n'importe qui l'aperçoit seule dans la ruelle, sans sa mère ou sa sœur aînée, sans brebis, sans botte de foin ou chargement de figues, on la dira aussi « charmuta ».

Une fille doit être mariée pour regarder devant elle, se présenter à la boutique du marchand, s'épiler et porter des bijoux.

Lorsqu'une fille n'est pas mariée dès l'âge de quatorze ans comme ma mère, le village commence à se moquer d'elle. Mais, pour pouvoir être mariée, une fille doit attendre son tour dans une famille. L'aînée d'abord, puis les suivantes.

Il y a trop de filles dans la maison de mon père. Quatre, toutes en âge de se marier. Il y a aussi deux demi-sœurs, issues de la seconde femme de notre père. Elles sont encore enfants. L'unique mâle de la famille, le fils adoré de tous, notre frère Assad, est né glorieusement entre toutes ces filles, à la quatrième place. J'occupe la troisième.

Mon père, Adnan, est mécontent de ma mère, Leila, qui lui a donné toutes ces filles. Il est mécontent aussi de son autre épouse, Aicha, qui ne lui a donné que des filles.

Noura, l'aînée, a été mariée tard, alors que j'avais moi-même environ quinze ans. Kaïnat, la deuxième fille, n'est demandée par personne. J'ai entendu dire qu'un homme avait parlé de moi à mon père, mais que je dois attendre le mariage de Kaïnat avant de pouvoir songer au mien. Mais Kaïnat n'est peut-être pas assez belle, ou alors elle est trop lente au travail... J'ignore pourquoi elle n'est pas demandée, mais, si elle reste vieille fille, elle sera la moquerie du village, et moi aussi.

Je n'ai connu ni jeu ni plaisir depuis que mon cerveau est capable de se souvenir. Naître fille dans mon village est une malédiction. Le seul rêve de liberté, c'est le mariage. Quitter la maison de son père pour celle de son mari, et ne plus y revenir même si on y est battue. Lorsqu'une fille mariée revient dans la maison de son père, c'est une honte. Elle ne doit pas demander protection hors de chez elle, il est du devoir de sa famille de la ramener au foyer.

Ma sœur a été battue par son mari et a apporté la honte en revenant se plaindre.

Elle a de la chance d'avoir un mari, j'en rêve.

Depuis que j'ai entendu dire qu'un homme avait parlé de moi à mon père, l'impatience et la curiosité me dévorent. Je sais que le garçon habite à trois ou quatre pas de chez nous. Parfois je peux l'apercevoir du haut de la terrasse où j'étends le linge. Je sais qu'il a une voiture, il est habillé d'un costume, il porte toujours une mallette, et doit travailler à la ville, dans un bon métier car il n'est jamais vêtu comme un ouvrier, toujours impeccable. J'aimerais voir son visage de plus près mais j'ai toujours peur que la famille me surprenne en train de guetter. Alors, en allant chercher du foin pour un mouton malade à l'écurie, je marche vite sur le chemin en espérant le voir de près. Mais il range sa voiture trop loin. À force d'observation, je sais à peu près à quelle heure il sort pour aller travailler. À sept heures du matin, je fais semblant de plier du linge sur la terrasse, ou de chercher une figue mûre, ou de secouer les tapis pour le voir pas même une minute s'en aller en voiture. Je dois faire vite pour ne pas me faire remarquer.

Je monte les escaliers, je passe dans les chambres pour accéder à la terrasse, je secoue énergiquement un tapis et je regarde par-dessus le mur de ciment, les yeux légèrement tournés vers la droite. Si quelqu'un m'observe de loin, il ne pourra pas deviner que je regarde dans la rue.

Parfois, j'ai le temps de l'apercevoir. Je suis amoureuse de cet homme et de cette voiture ! J'imagine plein de choses sur ma terrasse : je suis mariée avec lui et je regarde comme aujourd'hui la voiture s'éloigner jusqu'à ce que je ne la voie plus, mais il reviendra de son travail au coucher du soleil. Je lui ôterai ses chaussures et à genoux je laverai ses pieds comme ma mère le fait à mon père. Je lui apporterai son thé, je le regarderai fumer sa longue pipe, assis comme un roi devant la porte de sa maison. Je serai une femme qui a un mari !

Et je pourrai même me maquiller, sortir pour aller chez le marchand, monter dans cette voiture avec mon mari et même aller à la ville. Je supporterai le pire, pour la simple liberté, si j'en ai envie, de franchir seule cette porte et d'aller acheter du pain !

Mais je ne serai jamais une « charmuta ». Je ne regarderai pas les autres hommes, je continuerai à marcher vite, droite et fière mais sans compter mes pas, les yeux baissés, et le village ne pourra pas dire du mal de moi puisque je serai mariée.

C'est du haut de cette terrasse que ma terrible histoire a commencé. J'étais déjà plus vieille que ma sœur aînée le jour de son mariage, et j'espérais et je désespérais.

Je devais avoir dix-huit ans, ou peut-être plus, je ne sais pas.

Ma mémoire est partie en fumée, le jour où le feu est tombé sur moi.

Mémoire

Je suis née dans un village minuscule. On m'a dit qu'il était situé quelque part sur un territoire jordanien, puis transjordanien, puis cisjordanien, mais comme je n'ai jamais fréquenté l'école, je ne connais rien à l'histoire de mon pays. On m'a dit aussi que je suis née là-bas soit en 1958, soit en 1957... J'ai donc environ quarante-cinq ans aujourd'hui. Il y a vingt-cinq ans, je ne parlais que l'arabe, je n'étais jamais sorti de mon village à plus de quelques kilomètres de la dernière maison, je savais qu'il existait des villes plus loin sans les avoir vues. Je ne savais pas si la Terre était ronde ou plate, je n'avais aucune idée du monde lui-même ! Je savais qu'il fallait détester les juifs qui avaient pris la terre, mon père les appelait des « cochons ». Il ne fallait pas s'en approcher, ne pas leur parler ni les toucher au risque de devenir un cochon comme eux. Je devais faire ma prière au moins deux fois par jour, je récitais comme ma mère et mes sœurs, mais je n'ai appris l'existence du Coran que bien des années plus tard, en Europe. Mon frère unique, le roi de la maison, allait à l'école, mais pas les filles. Naître fille chez moi est une malédiction. Une épouse doit d'abord faire un fils, au moins un, et si elle ne fait que des filles, on se moque d'elle. Il faut deux ou trois filles au maximum pour le travail de la maison, de la terre et du bétail. S'il en arrive d'autres, c'est un grand malheur dont on doit se débarrasser au plus vite. J'ai très vite appris comment on s'en débarrasse. J'ai vécu ainsi jusqu'à l'âge de dix-sept ans environ, sans rien savoir d'autre que, puisque j'étais une fille, j'étais moins qu'un animal.

C'est ma première vie, celle d'une femme arabe en Cisjordanie. Elle a duré vingt ans, et je suis morte là-bas. Morte physiquement, socialement, à jamais.

Ma deuxième vie commence en Europe à la fin des années 1970, sur un aéroport international. Je suis un débris humain souffrant sur un brancard. Je sens la mort à tel point que les passagers de l'avion qui m'a emporté jusque-là ont protesté. Même dissimulée derrière un rideau, ma présence leur a été insupportable. On me dit que je vais vivre, mais je sais bien que non, et j'attends la mort. Je la supplie même de m'emporter. La mort est préférable à la souffrance et à l'humiliation. Il ne reste rien de mon corps, pourquoi voudrait-on me faire vivre alors que je souhaite ne plus exister, ni de corps ni d'esprit ?

Aujourd'hui encore, il m'arrive d'y penser. J'aurais préféré mourir, c'est vrai, que d'affronter cette deuxième vie que l'on m'offrait si généreusement. Mais survivre dans mon cas, c'est un miracle. Il me permet maintenant de témoigner au nom de toutes celles qui n'ont pas eu cette chance, qui meurent encore de nos jours pour cette seule raison : être une femme.

J'ai dû apprendre le français en écoutant parler les gens et en m'efforçant de répéter les mots que l'on m'expliquait avec des signes : « Mal ? Pas mal ? Manger ? Boire ? Dormir ? Marcher ? » Je répondais donc par signes « oui » ou « non ».

Beaucoup plus tard, j'ai appris à lire des mots sur un journal, patiemment et jour après jour. Je ne déchiffrais que des petites annonces au début, des avis de décès, des phrases courtes avec peu de mots que je répétais phonétiquement. Parfois, j'avais l'impression d'être un animal à qui l'on apprenait à communiquer comme un humain, alors que dans ma tête, en langue arabe, je me demandais où j'étais, dans quel pays, et pourquoi je n'étais pas morte dans mon village. J'avais honte d'être encore en vie, personne ne le savait. J'avais peur de cette vie et personne ne le comprenait.

Je devais dire tout cela avant de tenter de rassembler les morceaux de ma mémoire, car je voulais que mes paroles soient inscrites dans un livre.

J'ai une mémoire pleine de vides. La première partie de mon existence est constituée d'images, de scènes étranges et violentes comme dans un film à la télévision. Il m'arrive de ne pas y croire moi-même, d'autant que j'ai beaucoup de mal à les remettre dans l'ordre. Est-il possible d'oublier par exemple le nom d'une de ses sœurs ? L'âge de son frère le jour de son mariage ? Alors que je n'ai pas oublié les chèvres, les brebis, les vaches, le four à pain, la lessive dans le jardin, le ramassage des choux-fleurs et des courgettes et des tomates et des figues... l'écurie et la cuisine... les sacs de blé et les serpents ? La terrasse où je guettais mon amoureux ? Le champ de blé où j'ai commis le « péché » ?

Je me souviens donc mal de ma petite enfance. Parfois une couleur ou un objet me frappe, alors il me revient une image, un personnage, des cris, des visages qui se mêlent. Souvent, lorsqu'on me pose une question, le vide définitif s'installe dans ma tête. Je cherche désespérément la réponse et elle ne vient pas. Ou il me vient subitement une autre image et je ne sais pas à quoi elle correspond. Mais ces images sont imprimées dans ma tête et jamais je ne les oublierai. On ne peut pas oublier sa propre mort.

Je m'appelle Souad, je suis une enfant cisjordanienne, et je m'occupe avec ma sœur des moutons et des chèvres parce que mon père a un troupeau, et je travaille plus qu'un âne.

J'ai dû commencer à travailler vers huit ou neuf ans, et voir le sang des règles vers dix ans. Chez nous, on dit qu'une fille est « mûre » lorsque cette chose lui arrive. J'avais honte de ce sang car il fallait le dissimuler, même aux yeux de ma mère, laver mon saroual en cachette, lui rendre sa blancheur et le faire vite sécher au soleil, pour que les hommes et les voisins ne le voient pas. Je n'avais que deux sarouals. Je me souviens du papier qui servait de protection ces jours maudits, où l'on est considérée comme une pestiférée. J'allais enfouir le signe de mon impureté en cachette dans la poubelle. Si le ventre faisait mal, ma mère faisait bouillir des feuilles de sauge et me le donnait à boire. Elle entourait ma tête d'un foulard bien serré et le lendemain je n'avais plus mal. C'est le seul médicament dont je me souvienne et dont je me sers encore car il est très efficace.

Dès le matin, je vais dans l'écurie, je siffle avec les doigts pour que les moutons se rassemblent autour de moi, et je pars avec ma sœur Kaïnat, plus âgée d'environ une année. Les filles ne doivent pas sortir seules ou avec une sœur plus petite. L'aînée sert de garantie à la cadette. Ma sœur Kaïnat est gentille, ronde, un peu grasse, alors que je suis petite et maigre, et on s'entendait bien.

Nous partions toutes les deux au pré avec les moutons et les chèvres à un quart d'heure de marche du village, en marchant vite, les yeux baissés jusqu'à la dernière maison. Une fois dans le pré, nous étions libres de nous raconter des bêtises et même de rire un peu. Je ne me souviens pas de grandes conversations entre nous. Il était surtout question de manger du fromage, de nous régaler d'une pastèque, de surveiller les moutons et surtout les chèvres capables de dévorer toutes les feuilles d'un figuier en quelques minutes. Lorsque les moutons se rassemblaient en cercle pour dormir, nous nous endormions aussi, à l'ombre, prenant le risque de laisser une bête s'égarer dans un champ voisin, et d'en subir les conséquences au retour. Si l'animal avait pillé un jardin potager, si nous étions en retard de quelques minutes à l'écurie, c'était une raclée à coups de ceinture.

Pour moi, notre village est très joli et bien vert. Il y a beaucoup de figues, de raisins, des fruits, des citrons, énormément d'oliviers. Mon père possède la moitié des parcelles cultivées du village rien qu'à lui... Il n'est pas très riche, mais il a du bien. La maison est grande, en pierre, entourée d'un mur avec une grande porte grise en fer. Cette porte est le symbole de notre enfermement. Une fois à l'intérieur, elle se referme sur nous, pour nous empêcher de sortir. On peut donc entrer par cette porte en venant de l'extérieur, mais pas ressortir.

Est-ce qu'il y a une clé ? Un système automatique ? Je me souviens que mon père et ma mère sortaient, mais pas nous. Mon frère, par contre, est libre. Il est libre comme le vent : il va au cinéma, il sort, il rentre par cette porte, il fait ce qu'il veut. Je la regardais souvent, cette maudite porte de fer, en me disant : « Jamais je ne pourrai sortir par là, jamais... »

Le village, je ne le connais pas beaucoup puisqu'on n'a pas le droit de sortir. En fermant les yeux pour me concentrer et avec beaucoup d'effort, je peux dire ce que j'en ai vu. Il y a la maison de mes parents, puis celle que j'appelle la maison des gens riches un peu plus loin, du même côté. En face la maison de mon amoureux. On traverse le chemin et elle est là, je la vois de la terrasse. Je vois aussi quelques maisons dispersées, mais je ne sais pas combien, très peu en tout cas. Elles sont entourées de murets ou de grilles de fer, et les gens ont des jardins de légumes comme nous. Je n'ai jamais visité le village entier. Je ne sors de la maison que pour aller au marché avec mon père et ma mère ou au pré avec ma sœur et les moutons, c'est tout.

Jusqu'à l'âge de dix-sept ou dix-huit ans, je n'ai rien vu d'autre. Je ne suis pas entrée une seule fois au magasin du village, près de la maison, mais, en passant dans la camionnette de mon père pour aller au marché, je vois le marchand toujours debout à sa porte, à fumer ses cigarettes. Il y a deux petits escaliers devant sa boutique : à droite les gens vont acheter leurs cigarettes, les journaux et des boissons, uniquement des hommes ; à gauche il y a des légumes et des fruits.

Il y a aussi une autre maison sur ce même côté du chemin, où vit une femme mariée avec quatre enfants, mais elle a le droit de sortir. Elle peut entrer dans le magasin, je la vois debout sur l'escalier du côté des légumes avec des sacs de plastique transparents.

Il y avait beaucoup de terrain autour de la maison. On y avait planté des courgettes, de la courge, du chou-fleur et des tomates, plein de légumes. Avec la maison voisine les jardins se touchaient, uniquement séparés par un muret qu'il était possible de franchir, mais aucune de nous ne le faisait. L'enfermement était normal. Il ne venait pas à l'idée d'une fille de la maison de franchir cette barrière symbolique. Pour aller où ? Une fois dans le village, sur le chemin, une fille seule serait très vite repérée, sa réputation et l'honneur de sa famille détruits.

Je faisais la lessive à l'intérieur de ce jardin. Il y avait un puits dans un coin, et je chauffais l'eau dans une bassine sur un feu de bois. Je prenais un fagot dans la réserve, je cassais moi-même les branches en me servant de mon genou, et il fallait du temps pour chauffer l'eau... un bon moment. Mais je faisais autre chose en attendant, je balayais, je lavais le sol, je m'occupais des légumes du jardin. Puis je faisais la lessive à la main et j'allais l'étendre au soleil sur la terrasse.

La maison était moderne, très confortable, mais nous n'avions pas l'eau chaude à l'intérieur pour la toilette et la cuisine. Il fallait la faire chauffer dehors et la transporter. Plus tard, mon père a fait installer l'eau chaude, et il a fait venir une baignoire avec une douche. Toutes les filles se servaient de la même eau pour se laver, seul mon frère avait droit à une eau pour lui tout seul, et certainement mon père.

La nuit, je dormais avec mes sœurs, par terre, sur une peau de laine de mouton. Lorsqu'il faisait très chaud, on dormait sur les terrasses, alignées sous la lune. Les filles étaient l'une à côté de l'autre dans un coin. Les parents et mon frère dans un autre.

La journée de travail commençait tôt. Vers quatre heures du matin, au lever du soleil si ce n'était pas avant, mon père et ma mère se levaient. Pour les saisons du blé, on emportait à manger avec nous, et on s'y mettait tous, mon père, ma mère, mes sœurs et moi. Pour les saisons des figues, on partait assez tôt aussi. Il fallait les ramasser une par une, sans en oublier, les mettre dans des caisses, et mon père allait les porter au marché. Il y avait une bonne demi-heure de marche avec l'âne, et on arrivait dans une petite ville, vraiment toute petite, dont j'ai oublié le nom, si je l'ai jamais su... La moitié du marché, à l'entrée de la ville, était réservée à sa production, et des marchands s'occupaient de la vendre. Pour les vêtements, il fallait se rendre dans une ville plus grande et prendre le car. Mais les filles n'y allaient jamais. Ma mère s'y rendait avec mon père. C'était comme ça : elle achète avec mon père, elle donne une robe à ses filles. On aime ou on n'aime pas, on doit la mettre. Ni mes sœurs, ni moi, ni même ma mère n'avions notre mot à dire. C'était ça ou rien.

On avait donc des robes longues, à manches courtes, c'était un genre de coton, gris, parfois blanc, très rarement noir, un tissu très chaud qui piquait sur la peau. Le col est assez haut, bien fermé. Mais on était obligées de mettre une chemise ou un gilet en plus selon la saison, avec des manches longues. Il faisait souvent tellement chaud que c'était étouffant, mais les manches étaient obligatoires. Montrer un morceau de bras ou de jambe, encore pire un petit bout de décolleté, c'est la honte.

Nous étions pieds nus tout le temps, jamais de chaussures, sauf parfois pour les femmes mariées.

J'avais un saroual sous cette robe longue et boutonnée jusqu'au cou, c'est un pantalon gris ou blanc, très bouffant, et en dessous encore une culotte grande comme un short qui montait jusqu'en haut du ventre. Toutes mes sœurs étaient habillées pareil.

Ma mère était souvent en noir. Mon père, lui, portait un saroual blanc, une longue chemise, avec sur la tête le foulard rouge et blanc des Palestiniens.

Mon père ! Je le revois assis devant sa maison, par terre sous un arbre avec sa canne près de lui. Il est petit, il a le teint très blanc avec des taches rousses, la tête ronde et des yeux bleus très méchants. Un jour, il s'est cassé une jambe en tombant de cheval, et les filles étaient très contentes parce qu'il ne pouvait plus courir aussi bien derrière nous avec sa ceinture et nous battre. S'il était mort nous aurions été plus heureuses encore.

Je le vois bien, ce père. Lui, je ne pourrai jamais l'oublier, comme s'il était photographié dans ma tête. Il est assis devant sa maison, comme un roi devant son palais, avec son foulard rouge et blanc qui dissimule son crâne roux et chauve, il porte sa ceinture et sa canne est posée sur sa jambe repliée. Je le vois bien, il est là, tout petit et méchant, il enlève sa ceinture... et il crie : « Pourquoi les moutons sont rentrés tout seuls ! »

Il me tire par les cheveux et il me traîne par terre dans la cuisine. Il frappe pendant que je suis à genoux, il tire sur ma tresse comme s'il voulait l'arracher et il la coupe avec les gros ciseaux à laine. Je n'ai plus de cheveux. Je peux pleurer, crier ou supplier, je ne récolterai que des coups de pied en plus. C'est ma faute.

Je me suis endormie avec ma sœur parce qu'il faisait trop chaud, et j'ai laissé partir les moutons. Il nous frappe si fort avec sa canne que parfois je n'arrive plus à me coucher, ni à gauche ni à droite, tellement j'ai mal. Ceinture ou canne, je crois qu'on était battues tous les jours. Un jour sans être frappé ce n'était pas normal.

C'est peut-être cette fois-là qu'il nous a attachées toutes les deux, Kaïnat et moi, les mains derrière le dos, les jambes liées, avec un foulard sur la bouche pour nous empêcher de crier. On est restées comme ça toute la nuit, attachées à une barrière dans la grande écurie, avec les bêtes, mais pire que des bêtes.

C'était comme ça dans ce village, la loi des hommes. Les filles et les femmes étaient certainement battues tous les jours dans les autres maisons. On entendait crier ailleurs, donc il était normal d'être battues, rasées des cheveux, et attachées à une barrière d'écurie. Il n'y avait pas d'autre façon de vivre.

Mon père, c'est le roi, l'homme tout-puissant, celui qui possède, qui décide, qui frappe et nous torture. Et il fume tranquillement sa pipe devant sa maison avec ses femmes enfermées, qu'il traite pire que son bétail. L'homme prend une femme pour avoir des fils, pour lui servir d'esclave comme les filles qui viendront, si elle a le malheur d'en faire.

Souvent je pensais en regardant mon frère, que toute la famille adorait comme moi je l'adorais : « Qu'est-ce qu'il a de plus ? Il est sorti du même ventre que moi... » Et je n'avais pas de réponse. C'était ainsi. Nous devions le servir comme mon père, en rampant, la tête baissée.

Je vois le plateau de thé, même ce plateau de thé il faut l'apporter aux hommes de la famille en rampant, en comptant ses pas le dos courbé et en silence. On ne parle pas. On ne répond qu'aux questions. À midi, c'est du riz sucré, des légumes avec du poulet ou du mouton. Et toujours du pain. Il y a toujours à manger, la famille ne manque de rien au repas.

Il y a beaucoup de fruits. Le raisin, je n'ai qu'à le cueillir sur la terrasse. Il y a les oranges, les bananes et surtout les figues noires et vertes. Et le matin, quand on va les chercher de bonne heure, ça c'est un souvenir que jamais je n'oublierai. Elles se sont un peu ouvertes avec le froid de la nuit et elles coulent comme le miel, la plus pure des friandises.

Le gros travail ce sont les moutons. Sortir les moutons, les emmener au champ, les surveiller, les ramener, couper la laine que mon père va donner à vendre au marché. Je prends le mouton par les pattes, je le couche par terre, je l'attache et je coupe avec les gros ciseaux à laine. Ils sont trop grands pour mes mains et j'ai très mal au bout d'un moment.

Et je trais les brebis, assise par terre. Je coince les pattes entre mes jambes et je tire le lait pour faire les fromages. On laisse aussi refroidir le lait et on le boit tel quel, gras et nourrissant.

Dans la maison de mon père, le jardin nous donne presque tout ce qu'il faut pour manger. Et nous faisons tout nous-mêmes. Mon père n'achète que le sucre, le sel et le thé.

Le matin je fais du thé pour les filles, je prépare un peu d'huile d'olive dans une assiette, avec des olives à côté, et je chauffe l'eau dans une bassine sur la braise du fourneau à pain. Le thé vert séché est dans un sac de tissu beige par terre, dans un coin de la cuisine. Ma main plonge dans le sac, je prends une poignée que je mets dans la théière, je rajoute le sucre et je retourne chercher la bassine brûlante dans le jardin. Elle est lourde et j'ai du mal à la porter par ses deux poignées. Le dos cambré pour ne pas me brûler, je reviens dans la cuisine et je verse l'eau dans la théière, lentement, sur le thé et le sucre. Il est précieux et cher ce sucre. Je sais que si je laisse tomber quelques grains par terre, je suis battue. Alors, je fais attention. Si je suis maladroite, je ne dois pas le balayer, mais le ramasser et le remettre dans la théière. Puis mes sœurs viennent manger, mais le père, la mère et le frère ne sont jamais avec nous. Sur cette image du thé pris le matin, assise par terre dans la cuisine, je ne vois toujours que des sœurs. J'essaie de situer mon âge, mais c'est difficile. L'aînée, Noura, n'est pas encore mariée ?

Je suis incapable de mettre mes souvenirs dans l'ordre en fonction de mon âge, je pense que ma mémoire est à peu près juste à un ou deux ans près, plus certaine au moment du mariage de Noura. J'estime avoir environ quinze ans à cette époque.

Il reste donc à la maison ma sœur Kaïnat, plus âgée d'un an et qui n'est pas mariée, et une autre sœur après moi dont le nom m'échappe. J'ai beau chercher son prénom, il ne me revient pas. Je suis obligée de la nommer pour parler d'elle, je l'appellerai donc Hanan, mais qu'elle me pardonne ce n'est sûrement pas le vrai. Je sais qu'elle s'occupait des deux demi-sœurs que mon père avait ramenées à la maison après avoir abandonné sa deuxième épouse, Aicha. J'ai vu cette femme et je ne la détestais pas. Que mon père l'ait prise, c'était normal. Il voulait toujours avoir des fils, mais ça n'a pas marché non plus avec Aicha qui ne lui a donné que deux filles, encore des filles ! Alors il l'a laissé tomber et a ramené les deux nouvelles petites sœurs à la maison. C'était normal. Tout était normal dans cette vie, y compris les coups de canne et le reste. Je n'en imaginais pas une autre. D'ailleurs je n'imaginais rien du tout. Je crois que ma tête n'avait pas de rêve, ni de pensée précise. Nous n'avions aucun jouet, aucun jeu, juste l'obéissance et la soumission.

En tout cas, ses deux petites filles vivent maintenant avec nous. Hanan reste à la maison pour s'en occuper, et de cela je suis sûre. Mais leurs prénoms à elles aussi sont malheureusement partis dans l'oubli. Je les appelle toujours « les petites sœurs »... Dans mes premiers souvenirs, elles ont environ cinq et six ans et ne travaillent pas encore. Elles sont à la charge de Hanan qui sort très rarement de la maison, sauf en cas de nécessité, pour le ramassage des légumes en saison.

Chez nous les enfants se suivent d'une année environ. Ma mère s'est mariée à quatorze ans, mon père était bien plus âgé qu'elle. Elle a fait beaucoup d'enfants. Quatorze en tout. Il en reste cinq vivants. Longtemps je n'ai pas réalisé ce que quatorze enfants voulaient dire... Un jour le père de ma mère en parlait pendant que je servais le thé. J'entends encore sa phrase dans mes oreilles : « Heureusement que tu t'es mariée jeune, tu as pu faire quatorze enfants... et avoir un fils, c'est bien ! »

J'avais beau ne pas aller à l'école, je savais compter les moutons. Je pouvais donc compter sur mes mains que nous n'étions que cinq enfants issus du seul ventre de ma mère : Noura, Kaïnat, moi Souad, Assad et Hanan. Où étaient les autres ? Ma mère ne disait jamais qu'ils étaient morts, mais c'était une chose admise de fait dans son expression habituelle : « J'ai quatorze enfants, il y en a sept vivants. » En admettant qu'elle compte avec nous les demi-sœurs, puisque nous ne disions jamais demi-sœurs, mais « sœurs »... Nous étions effectivement sept... Il en manquait donc sept autres ? En admettant qu'elle ne compte pas les petites sœurs, il en manquait neuf ?

Un jour, pourtant, j'ai vu pourquoi nous n'étions que sept à la maison, ou cinq...

Je ne saurais dire à quel âge, mais je n'étais pas encore mûre, donc j'avais moins de dix ans. Noura l'aînée est avec moi. J'ai oublié beaucoup de choses mais pas ce que j'ai vu de mes yeux, terrorisée, sans pour autant réaliser que c'était un crime.

Je vois ma mère couchée par terre sur une peau de mouton. Elle accouche et ma tante Salima est avec elle, assise sur un coussin. J'entends les cris, ceux de ma mère et du bébé, et très vite ma mère prend la peau de mouton, et elle étouffe le bébé. Elle est à genoux, je vois bouger le bébé sous la couverture, et puis c'est fini. Je ne sais plus ce qui se passe ensuite, le bébé n'est plus là, c'est tout, et une peur terrible me stupéfie.

C'était donc une fille que ma mère étouffait à sa naissance. Je l'ai vue faire une première fois, puis une deuxième, je ne suis pas sûre d'avoir assisté à la troisième, mais je l'ai su. J'entends aussi ma sœur aînée Noura dire à ma mère : « Si j'ai des filles je ferai comme toi... »

C'est donc de cette façon que ma mère s'est débarrassée des cinq ou sept filles qu'elle a eues en plus de nous, manifestement après Hanan, la dernière survivante.

C'était une chose admise, normale, qui ne devait poser de problème à personne. Même pas à moi, du moins je le croyais la première fois, même si j'avais si peur.

Ces petites filles que ma mère tuait, c'était un peu moi. J'ai commencé à me cacher pour pleurer chaque fois que mon père tuait un mouton ou un poulet, car je tremblais pour ma vie. La mort d'un animal, comme celle d'un bébé, si simple et si ordinaire pour mes parents, déclenchait la terreur de disparaître à mon tour comme eux, aussi simplement et aussi vite. Je me disais : « Ça va être mon tour un jour, ou celui de ma sœur, ils peuvent nous tuer quand ils veulent. Grande ou petite, il n'y a pas de différence. Puisqu'ils nous donnent la vie, ils ont le droit de la faire disparaître. »

Tant qu'on vit chez ses parents dans mon village, la peur de la mort est toujours là. Je crains de monter sur une échelle lorsque mon père est en dessous. J'ai peur de la hache qui sert à fendre le bois, peur du puits en allant chercher l'eau. Peur quand mon père surveille le retour des moutons à l'écurie avec nous. Peur des bruits de porte dans la nuit, de me sentir étouffer sous la peau de mouton qui me sert de lit.

Parfois, en revenant du pré avec les bêtes, Kaïnat et moi, nous en parlons un peu :

« Et si tout le monde est mort quand on rentrera à la maison... ? Et si le père a tué la mère ? Un coup de caillou ça suffit ! Qu'est-ce qu'on fait ?

– Moi je prie chaque fois que je vais chercher l'eau du puits, parce qu'il est profond. Je me dis que si on me pousse dedans, personne ne saura où je suis passée ! Tu peux mourir au fond, on ne viendra pas te chercher. »

C'était ma grande terreur, ce puits. Et celle de ma mère aussi, je le sentais. J'avais peur aussi des ravins en ramenant les chèvres et les moutons. Je regardais autour de moi avec l'idée que mon père pouvait se cacher quelque part, qu'il allait me pousser dans le vide. C'était facile pour lui, et une fois au fond du ravin j'étais morte. On pouvait même empiler quelques cailloux sur moi, j'étais dans la terre et j'y restais.

La mort possible de notre mère nous préoccupait davantage que la mort d'une sœur. Une sœur, il y en a d'autres... Elle était souvent battue comme nous. Parfois elle essayait de nous défendre quand il tapait trop fort, alors il cognait aussi sur elle, il la roulait par terre, il la tirait par les cheveux... Notre vie quotidienne était une mort possible, jour après jour. Elle pouvait venir pour rien, par surprise, simplement parce que le père l'aurait décidé. Comme ma mère décidait d'étouffer les bébés filles.

Elle était enceinte, et puis elle ne l'était plus, personne ne posait de question. Nous n'avions pas de contact avec les autres filles du village. Seulement bonjour et au revoir. On n'était jamais ensemble, sauf aux mariages. Et les conversations étaient banales. Il était question de la nourriture, de commentaires sur la mariée, sur d'autres filles que l'on trouvait belles ou laides... d'une femme qui avait de la chance parce qu'elle était maquillée.

« Regarde celle-là, elle a épilé ses sourcils...

– Elle a une jolie coupe de cheveux.

– Ah, celle-là, elle a des chaussures aux pieds ! »

C'était la fille la plus riche du village, elle portait des babouches brodées. Nous, on sortait pieds nus dans les champs, on avait des épines aux pieds et on était obligées de s'asseoir par terre pour les retirer. Ma mère n'avait pas de chaussures, ma sœur Noura s'est mariée pieds nus. C'était l'essentiel des quelques phrases échangées aux mariages, et je n'ai assisté qu'à deux ou trois cérémonies.

Il n'était pas pensable de se plaindre d'être battue, puisque c'était courant. Pas question de bébé vivant ou mort, sauf si une femme venait d'accoucher d'un fils. Si ce fils était vivant, gloire à elle et à sa famille. S'il était mort, on le pleurait, malheur sur elle et sur sa famille. On compte les mâles, pas les femelles.

Je ne sais donc pas ce que devenaient les bébés filles après avoir été étouffés par ma mère. Est-ce qu'ils les enterraient quelque part ? Est-ce qu'ils les donnaient à manger aux chiens ?... Ma mère s'habillait de noir, mon père aussi. Chaque naissance d'une fille était comme un enterrement dans la famille. C'était toujours la faute de la mère si elle ne faisait que des filles. Mon père le pensait, comme tout le village.

Dans mon village, si les hommes avaient à choisir entre une fille et une vache, ils choisissaient la vache. Mon père répétait sans se lasser combien nous n'étions bonnes à rien : « Une vache ramène le lait, et ramène des veaux. Qu'est-ce qu'on fait avec le lait et les veaux ? On les vend. On ramène l'argent à la maison, ce qui veut dire qu'une vache rend service à la famille. Mais une fille ? Qu'est-ce qu'elle rend comme service à la famille ? Rien du tout. Les moutons, qu'est-ce qu'ils ramènent à la maison ? De la laine. On vend la laine, on ramène l'argent à la maison. La brebis grandit, elle fait d'autres agneaux, encore du lait, on fait des fromages, on les vend, et on ramène l'argent à la maison. Une vache ou un mouton, c'est mieux qu'une fille. »

Nous, les filles, nous en étions persuadées. D'ailleurs la vache, la brebis, la chèvre étaient bien mieux traitées que nous. Jamais battue, la vache ou la brebis !

Et nous étions convaincues aussi qu'une fille est un problème pour son père, il a toujours peur de ne pas la marier. Lorsqu'elle est mariée, c'est la misère et la honte si elle quitte son mari qui la maltraite pour oser revenir chez ses parents. Et tant qu'elle n'est pas mariée, le père craint qu'elle reste vieille fille, parce que le village va parler, et pour toute la famille c'est dramatique. Si une vieille fille marche dans la rue avec son père et sa mère, tout le monde la regarde et se moque d'elle. Si elle a passé vingt ans et qu'elle est encore chez ses parents, ce n'est pas normal. Chacun admet la règle du mariage de l'aînée et des suivantes dans l'ordre de leur âge. Mais passé vingt ans... personne n'admet plus rien. Je ne sais pas comment ça se passait ailleurs dans les villes de mon pays, mais dans mon village c'était ainsi.

Lorsque j'ai disparu de mon village, ma mère devait avoir moins de quarante ans. Elle avait accouché de douze ou quatorze enfants. Il lui en restait cinq ou sept. Elle avait étouffé les autres ? Ce n'était pas important. C'était tout simplement « normal ».

Hanan ?

Il y avait la peur de la mort et la porte de fer, bouclée sur notre existence de filles survivantes, soumises. Mon frère Assad partait à l'école avec un cartable. Mon frère Assad montait à cheval, allait se promener. Mon frère Assad ne mangeait pas avec nous. Il grandissait comme doit grandir un homme, libre et fier, servi tel un prince par les filles de la maison. Et je l'adorais comme un prince. Je chauffais l'eau de son bain quand il était encore petit, je lui lavais la tête, je prenais soin de lui comme d'un trésor inestimable. Je ne savais rien de sa vie en dehors de la maison, j'ignorais ce qu'il apprenait dans cette école, ce qu'il voyait et faisait en ville. Nous attendions qu'il ait l'âge de se marier : le mariage est la seule chose qui ait de l'importance dans une famille, avec la naissance d'un fils !

Assad était beau. Nous étions aussi proches l'un de l'autre qu'il était possible de l'être dans ma famille, tant qu'il était enfant. Un an de différence, le fait d'être son aînée immédiate m'ont donné quelque temps la chance de le côtoyer. Je n'ai pas le souvenir d'avoir joué avec lui comme jouent les enfants de cet âge en Europe. À quatorze ou quinze ans, c'était déjà un homme et il m'a échappé. Je crois qu'il s'est marié très tôt, vers dix-sept ans probablement. Il est devenu violent. Mon père le haïssait. Je n'en connais pas la raison... Il lui ressemblait peut-être trop. Il craignait d'être privé de son pouvoir par un fils devenu adulte. J'ignore d'où venait cette colère entre eux, mais un jour, j'ai vu mon père prendre un panier, le vider de son contenu pour le remplir de pierres, monter sur la terrasse et le jeter sur la tête d'Assad comme s'il voulait le tuer.

Lorsqu'il s'est marié, Assad a vécu avec son épouse dans une partie de la maison. Il a poussé une armoire contre la porte de communication pour empêcher mon père d'entrer chez lui. J'ai vite compris que la violence chez les hommes de mon village vient du plus loin des temps. Le père la transmet à son fils qui la transmet à son tour à l'infini.

Je n'ai pas revu ma famille depuis vingt-cinq ans, mais si par extraordinaire je retrouvais mon frère, je voudrais lui poser une seule question : « Où est la sœur disparue que j'appelle Hanan ? »

Hanan... Je la vois très brune. Une belle fille, plus jolie que moi, avec beaucoup de cheveux et plus mûre physiquement. Je me souviens que Kaïnat est douce et gentille, un peu trop grosse, et que Hanan a un caractère différent, un peu brusque, moins soumis que nous. Des sourcils très épais qui se rejoignent au-dessus de ses yeux. Elle n'est pas grosse, mais on sent qu'elle pourrait devenir assez forte, un peu ronde. Ce n'est pas une fille mince comme moi. Lorsqu'elle vient nous aider au ramassage des olives, elle est lente au travail, lente à se déplacer. Dans la famille, ce n'était pas une habitude : on marchait vite, on travaillait vite, on courait pour obéir, pour sortir les bêtes ou les rentrer. Elle n'était pas assez active, mais rêveuse et jamais très attentive à ce qu'on lui disait. Si on récoltait les olives, par exemple, j'avais déjà mal au bout des doigts d'avoir ramassé une pleine cuvette alors qu'elle n'avait pas encore rempli le fond de la sienne. Alors je faisais demi-tour pour l'aider. Si elle restait la dernière des dernières, elle allait avoir des ennuis avec mon père. Je nous revois en rang dans le champ d'oliviers. Nous avançons accroupies sur une même ligne au rythme de la cueillette. Le geste doit être rapide. Dès que la main est pleine on jette les olives dans la cuvette et on avance ainsi jusqu'à ce que les olives débordent presque, alors on va les mettre dans les grands sacs en toile. Chaque fois que je retourne à ma place, je vois Hanan toujours en arrière, le geste lent, comme au ralenti. Elle est vraiment très différente des autres, et je n'ai pas souvenir d'avoir parlé avec elle, de m'être occupée d'elle en particulier, sauf pour l'aider au ramassage des olives lorsqu'il le fallait. Ou tordre ses cheveux si épais en une grosse natte, comme elle devait le faire pour moi. Je ne la vois pas avec nous à l'écurie, je ne la vois pas traire les vaches, ou couper la laine des moutons... plutôt à la cuisine, à aider ma mère. C'est peut-être pour ça qu'elle avait presque disparu de ma mémoire. Pourtant je comptais et recomptais en m'efforçant de les mettre dans l'ordre de naissance : Noura, Kaïnat, Souad, Assad, et... ? Ma quatrième sœur n'existait plus, j'avais perdu jusqu'à son prénom. Il m'arrivait même de ne plus savoir qui était né avant qui. J'étais sûre pour Noura, sûre pour Assad, mais encore maintenant je nous mélange, Kaïnat et moi. Quant à celle que j'appelle Hanan, le pire pour moi, c'est que je ne me suis plus posé la question de sa disparition pendant des années.

Je l'ai « oubliée » profondément, comme si une porte de fer s'était refermée sur cette sœur de mon sang, la rendant totalement invisible au regard de ma mémoire déjà si embrouillée.

Il y a quelque temps, pourtant, une image a brutalement surgi, une vision atroce s'est imposée dans ma tête. Quelqu'un, dans une réunion de femmes, m'a montré la photographie d'une jeune fille morte, allongée à terre, étranglée par un cordon noir, un fil de téléphone. J'ai eu l'impression d'avoir déjà vu quelque chose de semblable. Cette photographie me mettait mal à l'aise, non seulement à cause de cette malheureuse jeune fille assassinée, mais parce que je cherchais comme dans un brouillard à « voir » quelque chose qui me concernait. Et le lendemain, bizarrement, ma mémoire s'est réveillée d'un coup. J'étais là ! J'avais vu ! Je savais quand cette sœur Hanan avait disparu !

Depuis, je vis avec ce nouveau cauchemar en tête, et j'en suis malade. Chaque souvenir précis, chaque scène de mon existence passée qui me revient brutalement au hasard me rend malade. Je voudrais oublier complètement toutes ces choses horribles et, en plus de vingt ans, j'y étais parvenue inconsciemment. Mais pour témoigner de ma vie d'enfant et de femme dans mon pays, je suis contrainte de plonger dans ma tête comme au fond de ce puits qui me faisait si peur jadis. Et tous ces morceaux de mon passé qui reviennent à la surface me semblent maintenant si horribles que j'ai du mal à y croire. Il m'arrive de me poser la question toute seule et à voix haute : « Est-ce que j'ai réellement vécu ces choses ? »

J'existe, j'y ai survécu. D'autres femmes les ont vécues et les vivent encore dans le monde. Je voudrais oublier, mais nous sommes si peu de survivantes à pouvoir parler qu'il est de mon devoir de témoigner et de revivre ces cauchemars.

Je suis dans la maison et j'entends crier, puis je vois ma sœur assise par terre, gesticulant des bras et des jambes, et mon frère Assad penché au-dessus d'elle, les bras écartés. Il est en train de l'étrangler avec le fil du téléphone. Je me souviens de cette image comme si je l'avais vécue hier. Je suis tellement collée au mur que je voudrais rentrer dedans, disparaître. Je suis avec les deux petites sœurs, devant elles pour les protéger. Je les tiens par les cheveux pour qu'elles ne bougent pas. Assad a dû nous voir ou m'entendre arriver, il crie : « *Rouhi ! Rouhi !* Fous le camp ! Fous le camp ! »

Je cours vers l'escalier de ciment qui va aux chambres en traînant mes deux sœurs. L'une des petites a tellement peur qu'elle trébuche et se fait mal à une jambe, mais je la force à me suivre. Je tremble de tout mon corps. Je nous enferme dans la chambre et je console la petite. J'essaie de soigner son genou et nous restons là, toutes les trois, très longtemps, sans faire de bruit. Je ne peux rien faire, absolument rien que garder le silence, avec cette vision d'horreur.

Mon frère étrangle ma sœur... Elle devait être au téléphone, et il est arrivé par-derrière pour l'étrangler... Elle est morte, je suis persuadée qu'elle est morte.

Ce jour-là, elle portait un pantalon blanc bouffant, avec un chemisier long jusqu'aux genoux. Elle était pieds nus. J'ai vu s'agiter les jambes, j'ai vu les bras qui frappaient mon frère au visage pendant qu'il criait : « Fous le camp ! »

Le téléphone était noir, il me semble. Il était posé par terre dans la pièce principale, avec un fil très long. Elle devait être en train de téléphoner, mais j'ignore à qui et pourquoi. Je ne sais pas ce que je faisais avant cela, ni où j'étais, ni ce que Hanan a pu faire de son côté, mais rien dans son comportement, à ma connaissance, ne justifie que mon frère veuille l'étrangler. Je ne comprends pas ce qui se passe.

Je suis restée dans la chambre avec les petites jusqu'à ce que ma mère revienne. Elle était sortie et mon père avec elle. Assad était seul avec nous. J'ai longtemps cherché pourquoi il n'y avait personne d'autre que lui et nous dans la maison. Puis les souvenirs se sont enchaînés.

Ce jour-là, mes parents étaient allés voir la femme de mon frère, chez ses parents où elle s'était réfugiée parce qu'il l'avait battue, alors qu'elle était enceinte. Voilà pourquoi mon frère était seul avec nous dans notre maison. Et il devait être furieux, comme tout homme qui subit cet affront. Comme d'habitude, je n'avais que des bribes d'informations sur ce qui se passait. Une fille n'assiste pas aux réunions de famille lorsqu'il y a des conflits. On la tient à l'écart. J'ai su plus tard que ma belle-sœur avait fait une fausse couche, et je suppose que ses parents ont accusé mon frère d'en être responsable. Mais ce jour-là il n'y avait aucun lien entre les deux événements. Que faisait Hanan au téléphone ? Il nous servait très peu. Moi-même j'ai dû m'en servir deux ou trois fois pour parler avec ma sœur aînée, ma tante ou la femme de mon frère. Si Hanan appelait quelqu'un, c'était de la famille, forcément.

Depuis quand ce téléphone était-il dans la maison ? Il ne devait pas y en avoir beaucoup dans le village à cette époque... Mon père avait modernisé la maison. Nous avions une salle de bain, avec de l'eau chaude, et donc un téléphone...

Lorsque mes parents sont revenus, je sais que ma mère a parlé avec Assad. Je la vois pleurer, mais je sais maintenant qu'elle faisait semblant. À présent je suis réaliste et j'ai compris comment se passent les choses dans mon pays. Je sais pourquoi on tue les filles. Je sais comment ça se passe. Il y a une réunion de famille qui en décide et, le jour fatal, les parents ne sont jamais présents. Seul celui qui a été désigné pour tuer est avec la fille.

Ma mère ne pleurait pas vraiment. Elle ne pleurait pas ! C'était du cinéma. Elle savait forcément pourquoi mon frère avait étranglé ma sœur. Sinon pourquoi sortir le jour même avec mon père et ma grande sœur Noura ? Pourquoi nous laisser seules à la maison avec Assad ? Ce que j'ignore, c'est la raison de la condamnation de Hanan. Elle a dû commettre un péché mais je ne vois pas lequel. Sortir seule ? On l'aurait vue parler avec un homme ? Un voisin l'aurait dénoncée ? Il suffit de si peu de chose pour considérer qu'une fille est une « charmuta », qu'elle a amené la honte dans sa famille et qu'elle doit mourir pour laver l'honneur non seulement de ses parents, de son frère, mais du village tout entier !

Ma sœur était plus mûre que moi, même si elle était plus jeune en âge. Elle avait dû commettre une imprudence que j'ignorais forcément. Les filles ne se font pas de confidences. Elles ont trop peur de parler, même entre sœurs. J'en sais quelque chose, puisque je me suis tue moi-même...

J'aimais beaucoup mon frère. Nous l'aimions toutes parce qu'il était le seul homme de la famille, le seul protecteur après mon père. Si le père meurt, c'est lui qui dirige la maison, et s'il meurt à son tour, s'il ne reste plus que des femmes, la famille est perdue. Il n'y a plus de moutons, plus de terre, plus rien. C'est la pire chose dans une famille que de perdre le frère unique. Comment vivre sans un homme ? C'est l'homme qui fait sa loi et nous protège, c'est le fils qui prend la place du père et marie ses sœurs.

Assad était violent comme mon père. C'était un assassin, mais ce mot-là n'a aucun sens dans mon pays lorsqu'il s'agit de faire mourir une femme. Le frère, ou le beau-frère, ou l'oncle, peu importe, ont mission de préserver l'honneur d'une famille. Ils ont droit de vie et de mort sur leurs femmes. Si le père ou la mère dit au fils : « Ta sœur a péché, tu dois la tuer... », il le fait pour l'honneur, c'est la loi.

Assad était notre frère adoré. Une fois, il est tombé de cheval – il aimait beaucoup se promener à cheval. Le cheval a glissé et il est tombé. Nous avons tant pleuré, je m'en souviens ! J'ai déchiré ma robe de chagrin, je me suis arraché les cheveux. Heureusement ce n'était pas grave et nous l'avons soigné. Mais lorsque mon père s'est cassé la jambe, nous étions si contentes que nous aurions pu danser de joie. Et encore aujourd'hui je n'arrive pas à réaliser qu'Assad est un assassin. La vision de ma sœur étranglée est un vrai cauchemar, mais à ce moment-là je ne pouvais pas lui en vouloir. Ce qu'il avait fait était normal, il avait dû accepter de le faire par devoir, parce que c'était nécessaire pour toute la famille. Et je l'aimais.

Je ne sais pas ce qu'ils ont fait de Hanan. Elle a disparu de la maison en tout cas. Je l'ai oubliée. Je ne comprends pas très bien pourquoi. Après la peur, il y a certainement eu la logique de ma vie à cette époque, la coutume, la loi, tout ce qui nous oblige à vivre ces choses « normalement ». Elles ne deviennent des crimes et des horreurs qu'ailleurs, en Occident, dans d'autres pays où les lois sont différentes. Moi-même je devais mourir, et d'avoir survécu par miracle à la loi coutumière m'a longtemps perturbée. Maintenant je devine que j'ai dû subir un choc, et que ma propre expérience a amplifié ce choc au point de me rendre amnésique sur certains événements. C'est un psychiatre qui me l'a dit.

Voilà comment Hanan a disparu de ma vie et de mes souvenirs. Peut-être qu'elle a été enterrée avec les autres bébés. Peut-être qu'on l'a brûlée, enterrée sous un talus, ou dans un champ. Peut-être qu'on l'a donnée aux chiens ? Je ne sais pas. Je vois bien dans le regard des gens d'ici, lorsque je parle de ma vie là-bas, qu'ils ont du mal à comprendre. Ils me posent des questions logiques pour eux : « Est-ce que la police est venue ? », « Est-ce que personne ne s'inquiète d'une disparition ? », « Que disent les gens du village ? ».

Je n'ai jamais vu la police de ma vie. Une femme qui disparaît, ce n'est rien. Et les gens du village sont d'accord avec la loi des hommes. Si on ne tue pas une fille qui a déshonoré sa famille, les gens du village rejettent cette famille, plus personne ne veut lui parler, ou faire du commerce avec elle, la famille doit partir ! Alors...

Vu d'ici, ma sœur a subi un sort pire que le mien. Mais elle a eu de la chance parce qu'elle est morte. Au moins, elle ne souffre pas.

Les cris de ma sœur, je les entends encore dans mes oreilles, elle hurlait tellement ! Kaïnat et moi, nous avons eu peur pour nous pendant quelque temps. Chaque fois que l'on voyait mon père, mon frère ou mon beau-frère, on craignait quelque chose de leur part. Et parfois on n'arrivait pas à dormir. Je me réveillais souvent la nuit. Je sentais une menace permanente. Assad était toujours en colère, violent. Il n'avait pas le droit d'aller voir sa femme : elle était sortie de l'hôpital pour retourner directement chez ses parents parce qu'il l'avait trop battue. Et pourtant elle est revenue vivre avec lui, c'est la loi. Elle lui a donné d'autres enfants, des fils heureusement. Nous étions fières de lui, nous l'aimions toujours autant, même s'il nous faisait peur. Ce que je ne comprends pas, c'est que je haïssais mon père autant que j'adorais mon frère, alors qu'ils étaient semblables, finalement.

Si je m'étais mariée dans mon village et que j'aie donné naissance à des filles, si Assad avait été chargé d'étrangler une de mes filles, j'aurais fait comme les autres femmes, j'aurais subi sans me révolter. C'est insupportable à penser et à dire ici, mais pour nous, là-bas, c'était comme ça.

Aujourd'hui c'est différent, parce que je suis morte dans mon village et que je suis née une seconde fois en Europe. Alors d'autres idées sont entrées dans mon esprit.

Pourtant j'aime toujours mon frère. C'est comme une racine d'olivier qu'on ne peut pas arracher, même si l'arbre est tombé.

La tomate verte

Je nettoyais l'écurie tous les matins. Elle était très grande et l'odeur était forte. Une fois l'écurie propre, je laissais la porte ouverte pour aérer. C'était très humide, et avec la chaleur du soleil il y avait de la vapeur à l'intérieur. On remplissait des seaux de fumier, je les portais sur la tête jusqu'au jardin pour qu'il sèche. Une partie de ce fumier, celui du cheval, servait uniquement à nourrir la terre du jardin. Mon père disait que c'était le meilleur engrais. Le crottin de mouton était pour le four à pain. Lorsqu'il avait bien séché, je m'asseyais par terre et je le malaxais à la main pour en faire comme des petites galettes que je mettais en tas pour alimenter le four.

On emmenait les moutons au pré très tôt le matin, et on retournait les chercher pour les ramener à l'écurie quand le soleil était trop chaud, vers onze heures. Les moutons mangeaient et dormaient. Je rentrais aussi dans la maison, pour manger. De l'huile dans un bol, du pain chaud, du thé, des olives, des fruits. Le soir, il y avait du poulet, de l'agneau ou du lapin. Nous mangions de la viande presque tous les jours avec du riz, de la semoule qu'on faisait nous-mêmes. Tous les légumes venaient du jardin.

Tant qu'il faisait chaud dans la journée, je travaillais à la maison. Je préparais la pâte pour le pain. Je nourrissais les tout petits agneaux aussi. Je les prenais par la peau du cou, comme on tient les chats, et je les soulevais jusqu'au pis de la maman, pour qu'ils tètent. Il y en avait toujours plusieurs, alors je m'en occupais l'un après l'autre. Quand l'un avait assez tété, je le remettais à sa place, jusqu'à ce qu'ils aient tous mangé. Ensuite j'allais m'occuper des chèvres, que l'on mettait à part dans l'écurie. Les deux chevaux avaient leur coin, et les quatre vaches aussi. Elle était vraiment immense, cette écurie : une bonne soixantaine de moutons, et au moins quarante chèvres. Les chevaux étaient toujours dehors dans les prés, on ne les rentrait que pour la nuit. Ils servaient uniquement à mon frère et mon père pour leurs promenades, jamais à nous. Lorsque le travail de l'écurie était terminé, je ne refermais pas la porte en m'en allant à cause de la chaleur, mais il y avait une barrière en bois, un bois très lourd, très épais, qui empêchait les bêtes de sortir.

Ensuite il fallait s'occuper du jardin, quand le soleil était plus bas. Il y avait beaucoup de tomates qu'il fallait cueillir presque tous les jours, lorsqu'elles étaient mûres. Une fois, par erreur, j'ai cueilli une tomate verte. Je ne l'ai pas oubliée, cette tomate ! J'y repense souvent dans ma cuisine. Elle était moitié jaune moitié rouge, et commençait à mûrir. J'avais bien pensé la cacher en la ramenant à la maison, mais c'était trop tard, mon père était déjà arrivé. Je savais que je n'aurais pas dû la cueillir, mais j'allais trop vite avec mes deux mains. Il fallait toujours travailler si rapidement que mes gestes étaient mécaniques, mes doigts tournaient autour du plant de tomates, gauche, droite, gauche, droite jusqu'au pied... Et la dernière, celle qui avait pris le moins de soleil, s'est retrouvée dans ma main sans que je l'aie voulu. Et elle était là, bien visible dans ma cuvette. Mon père a hurlé : « Tu es folle ? Tu vois ce que tu as fait ? Tu cueilles une tomate verte ! Maboula ! »

Et il m'a frappée, puis il l'a écrasée au-dessus de ma tête, les pépins tombaient sur moi. « Tu vas la manger maintenant ! » Il l'a enfoncée dans ma bouche de force, et il m'a frotté le visage avec les restes de la tomate. Je croyais qu'on pouvait la manger quand même, mais elle était acide, très amère, c'était infect. Je l'ai avalée, par force. Ensuite je ne voulais plus manger, je pleurais et mon estomac était retourné. Mais il m'a même mis la tête dans l'assiette et m'a obligée à manger mon repas, presque comme un chien. Je ne pouvais plus bouger, il me tenait méchamment par les cheveux, j'avais mal. Ma demi-sœur se moquait de moi et rigolait. Elle a reçu une telle gifle qu'elle a craché ce qu'elle avait dans la bouche et s'est mise à pleurer. Plus je disais que j'avais mal à la tête et plus il s'acharnait à m'écraser le visage dans la semoule. Il a vidé le plat jusqu'au bout, en faisant des boulettes de semoule qu'il m'a enfournées dans la bouche, il était enragé. Ensuite, il s'est essuyé les mains avec un linge, me l'a jeté à la tête, et il est parti s'installer tranquillement à l'ombre, sur la véranda.

J'ai débarrassé le plateau en pleurant. J'avais de la nourriture plein le visage, plein les cheveux et les yeux. Et je balayais comme tous les jours pour ramasser le moindre grain de semoule qui avait échappé à la main de mon père.

Pendant de longues années j'ai oublié des événements aussi importants que la disparition d'une de mes sœurs, mais je n'ai jamais oublié cette tomate verte, et l'humiliation d'être traitée moins qu'un chien. Et de le voir là, assis tranquillement à l'ombre, faisant sa sieste comme un roi après ma raclée presque quotidienne, c'était le pire de tout. Il était le symbole d'un esclavage normal, que j'acceptais en courbant la tête et le dos sous les coups, comme mes sœurs, comme ma mère. Mais aujourd'hui je comprends ma haine. J'aurais voulu qu'il étouffe sous son foulard.

C'était la vie de tous les jours. Vers quatre heures, on sortait les moutons et les chèvres jusqu'au coucher du soleil. Ma sœur prenait les devants sur le chemin, et je me plaçais toujours derrière avec une canne, pour faire avancer les bêtes, et faire peur aux chèvres surtout. Elles étaient toujours agitées, prêtes à courir n'importe où. Une fois dans le pré, c'était un peu de tranquillité, il n'y avait que nous et le troupeau. Je prenais une pastèque et je tapais sur un caillou pour l'ouvrir. On avait peur de se faire prendre en rentrant, parce que nos robes étaient sales de jus sucré. Nous les lavions directement sur nous en rentrant à l'écurie, avant que les parents nous voient. Il n'était pas question d'ôter la robe, mais heureusement elle séchait très vite.

Le soleil prenait un jaune particulier et s'éloignait à l'horizon, le ciel passait du bleu au gris, il fallait rentrer avant que la nuit tombe. Et comme la nuit tombe très vite chez nous, il fallait faire aussi vite que le soleil, compter ses pas sur le chemin, raser les murs, et la porte de fer claquait à nouveau sur nous.

Après quoi il était l'heure de traire les vaches et les brebis. Je me souviens que j'avais mal aux bras. Un gros bidon sous le ventre de la vache, un tabouret presque au ras du sol, je prenais une patte de vache et je la coinçais entre mes jambes pour ne pas qu'elle fasse un mouvement et que le lait gicle ailleurs que dans le seau. S'il y avait une flaque de lait par terre, même quelques gouttes, c'était le dernier jour de ma vie ! Mon père me giflait en hurlant qu'il allait perdre un fromage ! Les mamelles des vaches étaient très grosses, très dures parce qu'elles étaient gonflées de lait, et mes mains étaient petites. J'avais mal aux bras, je mettais beaucoup de temps pour traire et j'étais épuisée. Une fois, c'était à une période où il y avait six vaches dans l'écurie, je me suis endormie, accrochée au seau, la patte de la vache coincée entre mes jambes. Mon père est arrivé par malheur et a crié : « Charmuta ! Pute ! » Il m'a traînée par terre dans l'écurie, par les cheveux, et j'ai pris une raclée à coups de ceinture. Je la maudissais cette ceinture de cuir, large, qu'il portait toujours autour de la taille avec une autre plus petite. La toute petite cinglait très fort. Il frappait à tour de bras en la tenant par un bout comme une corde. Quand il se servait de la grande, il devait la plier en deux, elle était trop lourde. Je le suppliais et je pleurais de douleur, mais plus je disais que j'avais mal, plus il frappait en me traitant de pute.

Je pleurais encore le soir, au moment du repas. Ma mère a essayé de me questionner. Elle voyait bien qu'il avait frappé très fort ce soir-là, mais il s'est mis à cogner sur elle aussi, en lui disant que ça ne la regardait pas, qu'elle n'avait pas besoin de savoir pourquoi j'avais été battue, parce que moi je le savais.

Une journée ordinaire à la maison, c'était au moins une gifle, ou un coup de pied sous prétexte que je ne travaillais pas assez vite, que l'eau du thé avait mis trop longtemps à chauffer... Parfois j'arrivais à esquiver la claque sur la tête, mais pas souvent. Je ne me souviens pas si ma sœur Kaïnat était battue autant que moi, mais je pense que oui, parce qu'elle avait aussi peur que moi. J'ai gardé en moi ce réflexe de travailler vite et de marcher vite, comme si une ceinture me guettait en permanence. Un âne sur le chemin avance à coups de bâton. Si le bâton s'arrête, il s'arrête. C'était pareil pour nous, sauf que mon père frappait beaucoup plus fort que sur un âne. J'ai encore été frappée le lendemain, par principe, pour que je n'oublie pas la raclée de la veille. Pour que je continue d'avancer sans m'endormir, comme l'âne sur le chemin.

L'âne me fait penser à un autre souvenir, qui concerne ma mère. Je me vois emmener paître le troupeau comme d'habitude, et revenir très vite à la maison pour nettoyer l'écurie encore plus vite. Ma mère est avec moi, elle me presse car nous devons aller ramasser les figues. Il faut charger les caisses sur le dos de l'âne et marcher assez longtemps hors du village. Je suis incapable de situer cette histoire dans le temps, sauf que ce matin-là me semble très proche de la tomate verte. C'est la fin de la saison parce que le figuier devant lequel nous nous arrêtons est nu. J'attache l'âne au tronc de ce figuier pour l'empêcher de manger les fruits et les feuilles qui jonchent le sol.

Je commence à ramasser et ma mère me dit : « Écoute bien Souad, tu restes ici avec l'âne, tu ramasses toutes les figues au bord de la route, mais tu ne vas pas plus loin que cet arbre. Tu ne bouges pas d'ici. Si tu vois ton père arriver avec le cheval blanc ou ton frère, ou quelqu'un d'autre, tu siffles et je reviendrai vite. » Elle s'éloigne un peu sur le chemin pour rejoindre un cavalier qui attend sur son cheval. Je le connais de vue, il s'appelle Fadel. Il a une tête très ronde, il est petit et assez fort. Son cheval est très bien soigné, tout blanc avec une tache noire, la queue tressée jusqu'en bas. Je ne sais pas s'il est marié ou pas.

Ma mère trompe mon père avec lui. Je l'ai compris dès qu'elle m'a dit : « Si quelqu'un d'autre arrive, tu siffles. » Le cavalier disparaît de ma vue, et ma mère aussi. Moi, je ramasse consciencieusement les figues au bord de la route. Il n'y en a pas beaucoup à cet endroit, mais je n'ai pas le droit d'aller en chercher plus loin, sinon je ne verrai pas mon père ou n'importe qui d'autre arriver.

Bizarrement cette histoire ne m'étonne pas. Dans mon souvenir, je n'ai pas le sentiment de craindre grand-chose. Peut-être parce que ma mère a bien organisé son plan. L'âne est attaché au tronc du figuier nu, il ne peut rien manger, ni feuilles ni fruits, comme il se doit pour ce genre de cueillette. Je n'ai donc pas besoin de le surveiller comme en pleine saison et je peux travailler seule. Je fais dix pas dans un sens, dix dans l'autre, en ramassant les figues à terre pour les déposer dans les caisses. J'ai une bonne vision du chemin en direction du village, je peux voir arriver quelqu'un de loin et siffler à temps. Je ne vois plus ni ce Fadel ni ma mère, mais je devine qu'ils sont à une cinquantaine de pas, cachés quelque part dans le champ. Donc, en cas d'ennui, elle pourra toujours faire croire qu'elle s'est éloignée un instant pour un besoin urgent. Un homme, même mon père ou mon frère, ne posera jamais de question indécente sur ce sujet. Ce serait honteux.

Je ne reste pas seule très longtemps : la caisse est très peu remplie lorsqu'ils reviennent séparément. Ma mère sort du champ. Je vois Fadel remonter sur son cheval ; il rate même la selle une première fois car son cheval est haut. Il a une jolie cravache en bois, très fine, et fait un sourire à maman avant de disparaître.

Moi, je fais semblant de n'avoir rien vu.

La chose s'est faite très vite. Ils ont fait l'amour quelque part dans le champ, à l'abri des herbes, ou ils étaient simplement ensemble pour se parler, je ne veux pas savoir. Je n'ai pas le droit de demander ce qu'ils ont fait, ou d'avoir l'air étonné, ça ne me regarde pas. Ma mère ne me fera pas de confidence. Elle sait aussi que je n'en dirai rien, tout simplement parce que je suis complice de fait, et que je serai battue à mort autant qu'elle. Mon père ne sait que taper sur les femmes et les faire travailler pour avoir de l'argent. Alors, que ma mère aille faire l'amour avec un autre homme sous prétexte de lui ramener ses caisses de figues, finalement j'en suis très contente. Elle a bien raison.

À présent nous devons ramasser les figues très vite, que les caisses soient remplies suffisamment pour justifier le temps passé. Sinon mon père va demander : « Tu ramènes des caisses vides, qu'est-ce que tu as fait pendant ce temps ? » Et j'aurai droit à la ceinture.

Nous sommes assez loin du village. Ma mère monte sur l'âne, les jambes un peu écartées autour du cou de l'animal, très près de la tête pour ne pas écraser les fruits. Je marche en tête pour guider le pas de l'âne sur le chemin, et nous repartons lourdement chargées.

Un peu plus loin nous croisons une femme âgée toute seule avec un âne, qui ramène des figues elle aussi.

Comme elle est vieille, elle n'a pas besoin d'être accompagnée, elle est devant nous. Ma mère la salue et nous poursuivons le chemin ensemble. Il est très étroit et bizarre ce chemin, plein de trous, de bosses et de cailloux. Par endroits il grimpe assez haut et l'âne a du mal à avancer avec sa charge. À un moment il s'arrête tout net en haut d'une pente, devant un gros serpent, et refuse d'aller plus loin. Ma mère a beau le taper, l'encourager, il ne veut rien savoir. Au contraire il cherche à reculer, le nez frémissant de peur, comme moi. Je déteste les serpents. Et comme la pente est vraiment très raide, les caisses bougent sur son dos, au risque de se renverser. Heureusement la femme qui nous accompagne ne semble pas craindre le serpent, pourtant énorme. Je ne sais pas comment elle fait, mais je vois le corps s'enrouler, se tordre. Elle a dû taper dessus avec son bâton... finalement le grand serpent se faufile dans le ravin et l'âne veut bien repartir.

Il y avait beaucoup de serpents autour du village, des petits et des grands. On en voyait tous les jours et on les craignait beaucoup, comme on craignait les grenades. Depuis la guerre avec les juifs, il y en avait un peu partout. On ne savait jamais si on n'allait pas mourir en posant le pied dessus, par hasard. En tout cas, j'en entendais parler à la maison, lorsque le père de mon père venait en visite, ou mon oncle. Ma mère nous mettait en garde contre ces grenades, elles étaient presque invisibles au milieu des cailloux, et je regardais sans cesse devant moi, de peur d'en rencontrer une. Je n'ai pas le souvenir d'en avoir vu moi-même, mais je sais que le danger était permanent. Il valait mieux ne pas soulever une pierre, et bien regarder où on mettait ses pieds. Les serpents, eux, allaient se nicher jusque dans la maison, dans la réserve, entre les sacs de riz ou les tas de paille de l'écurie.

Mon père n'était pas à la maison lorsque nous sommes rentrées. C'était un soulagement car nous avions perdu du temps : il était déjà dix heures. À cette heure le soleil est haut, la chaleur forte, et les figues bien mûres risquaient de se ratatiner et se ramollir. Or il fallait qu'elles soient en bon état, et préparées soigneusement pour que mon père puisse les vendre au marché.

J'aimais beaucoup préparer les caisses de figues. Je choisissais de belles feuilles de figuier, très grandes et bien vertes pour tapisser le fond des caisses. Ensuite, je plaçais les fruits délicatement, bien rangés comme de beaux bijoux, et je mettais de grandes feuilles pardessus pour les protéger du soleil. Pour les raisins c'était la même chose : on les coupait au ciseau, on les nettoyait soigneusement, il ne devait pas rester un grain abîmé, ou une feuille sale. Je tapissais les caisses avec des feuilles de vigne et je les recouvrais de la même façon, pour que les grappes restent bien fraîches.

Il y avait aussi la saison des choux-fleurs, des courgettes, des aubergines, des tomates et des courges, et mon père vendait aussi les fromages que j'étais chargée de fabriquer. Je mettais le lait dans un grand seau en métal. Je retirais le gras tout jaune qui se formait sur les bords, et la crème que je mettais à part pour faire le « laban » qu'on vendait dans des paquets à part, pour le ramadan. On les mettait dans des gros seaux et c'est mon père qui s'occupait de faire les paquets avec du plastique très dur pour que le produit ne pourrisse pas. Il marquait dessus en arabe « laban ».

Avec le « halib », le lait, je faisais des yogourts et du fromage à la main. J'avais un tissu blanc transparent et un bol en fer. D'abord je remplissais le bol à ras, pour que les fromages aient toujours la même taille, ensuite je les mettais dans le tissu, je faisais un nœud et je serrais très fort pour que le jus coule dans un récipient. Une fois que les fromages n'avaient plus de jus, je les plaçais sur un grand plateau doré, recouvert d'un tissu pour ne pas que le soleil et les mouches les abîment. Je les emballais ensuite dans des paquets blancs que mon père marquait aussi. C'était très joli une fois emballé, très soigné. Mon père allait au marché pratiquement tous les jours à la saison des fruits et légumes. Pour les fromages et le lait, deux fois par semaine.

Mon père ne venait prendre le volant de la camionnette que lorsque tout était chargé, et si nous n'avions pas terminé à temps, malheur à nous. Il s'installait devant avec ma mère, et moi j'étais coincée entre les caisses à l'arrière. Il y avait une bonne demi-heure de route. En arrivant, je voyais de grands immeubles. C'était la ville. Une jolie ville, bien propre. Il y avait des feux rouges pour arrêter les voitures. Des jolies boutiques. Je me souviens d'une vitrine avec un mannequin et une robe de mariée. Mais je n'avais pas le droit d'aller me promener, encore moins d'aller regarder les boutiques. J'avais la bouche ouverte et je me tordais le cou pour les apercevoir de loin le plus longtemps possible. Je n'avais jamais vu ça.

J'aurais bien aimé visiter cette ville, mais quand je voyais des filles marcher sur le trottoir, habillées avec des robes courtes, les jambes nues, j'avais honte. Si je les avais rencontrées de près, j'aurais craché sur leur passage. C'étaient des charmuta... Pour moi, c'était dégoûtant. Elles marchaient toutes seules, sans parents à côté d'elles. Je me disais qu'elles ne pourraient jamais se marier. Aucun homme ne les demanderait parce qu'elles avaient montré leurs jambes, et qu'elles étaient maquillées avec du rouge à lèvres. Et je ne comprenais pas pourquoi on ne les enfermait pas.

Je me rends compte à présent que la vie au village n'avait pas changé depuis que ma mère était née, et sa mère avant elle, et plus loin encore. Est-ce que ces filles étaient battues comme moi ? Est-ce qu'elles travaillaient comme moi ? Enfermées comme moi ? Esclaves comme moi ? Je ne devais pas m'éloigner d'un centimètre de la camionnette de mon père. Il surveillait le déchargement des caisses, ramenait l'argent, et sur un geste, comme un âne, je devais remonter me cacher à l'intérieur, avec pour seul plaisir un moment sans travail, et la vision des boutiques inaccessibles à travers les caisses de fruits ou de légumes.

Le marché était très grand. Il y avait comme une sorte de toit recouvert de vignes qui faisait de l'ombre pour les fruits. C'était très joli. Quand tout était vendu, mon père était heureux. Il allait voir le vendeur avant que le marché soit fermé, tout seul, et il ramenait l'argent que je pouvais voir dans sa main. Il le comptait beaucoup et l'enfermait dans un petit sac en tissu, noué avec une ficelle, et il mettait le sac autour de son cou. C'est avec cet argent du marché qu'il a pu moderniser la maison.

J'aimais bien monter dans la camionnette parce que c'était un moment de repos. Je ne faisais rien pendant le trajet, j'étais assise tranquillement. Mais une fois arrivés au marché, il fallait se dépêcher, transporter les caisses en vitesse. Mon père voulait montrer que sa femme et sa fille travaillaient dur. J'étais toujours avec ma mère. Il n'emmenait jamais les deux sœurs ensemble.

Lorsque ma sœur était avec eux, j'allais chercher de l'eau pour nettoyer la cour, et que le soleil la sèche. Je préparais à manger et je faisais le pain. Assise par terre, je mettais la farine dans un grand plat avec de l'eau et du sel, et je travaillais avec la main. Ensuite je laissais reposer la pâte sous un linge blanc en attendant qu'elle lève. J'allais raviver le fourneau à pain pour qu'il soit très chaud. Le fournil était grand comme une petite maison avec un toit de bois, et à l'intérieur le fourneau en fer brûlait en permanence. Les braises se gardaient très longtemps, mais il fallait ranimer le feu tout spécialement avant de faire le pain.

C'est magnifique une pâte qui lève... j'adorais faire le pain. Je faisais un trou dans la pâte pour faire joli, avant de la mettre dans le fourneau. Et pour qu'elle ne colle pas dans les mains, je les plongeais dans un sac de farine, et je caressais cette pâte qui devenait blanche et toute douce. Ça faisait une grande galette, superbe, un joli pain rond et un plat qui devait toujours avoir la même forme. Sinon mon père me le jetait à la figure.

Une fois le pain cuit, je nettoyais le four et ramassais les cendres. Quand je sortais de là, mes cheveux, mon visage, mes sourcils et mes cils étaient gris de poussière. Je me secouais comme un chien qui a des puces.

Un jour, j'étais à l'intérieur de la maison et on a vu de la fumée sortir du toit du fournil. J'ai couru avec ma sœur pour voir ce qui se passait, et on a commencé à crier au feu. Mon père est venu avec de l'eau. Il y avait des flammes et tout a brûlé. À l'intérieur du fourneau, il y avait comme des crottes de chèvres, toutes noires. J'avais oublié un pain à l'intérieur du four, et mal nettoyé les cendres. Une braise était restée qui avait déclenché le feu. C'était ma faute. Je ne devais pas oublier ce morceau de pain, et surtout jamais oublier de brasser les cendres avec un morceau de bois pour ôter les braises.

J'étais responsable de l'incendie du four à pain, c'était la pire des catastrophes.

Et mon père m'a battue plus que jamais. J'ai pris des coups de pied, des coups de canne dans le dos. Il m'a attrapée par les cheveux, m'a collée à genoux et il m'a aplati le visage dans les cendres, tièdes heureusement. J'étouffais, je bavais, la cendre entrait par le nez et la bouche, et j'avais les yeux tout rouges. Il m'a fait manger la cendre pour me punir. Comme je pleurais quand il m'a relâchée, j'étais toute noire et grise avec les yeux rouges comme une tomate. C'était une faute très grave de ma part, et si ma sœur et ma mère n'avaient pas été là je crois que mon père m'aurait jetée dans l'incendie avant de l'éteindre.

Il a fallu reconstruire le four avec des briques et le travail a duré longtemps. Chaque jour j'avais droit à une insulte, à une parole méchante. Je filais à l'écurie le dos courbé, je balayais la cour la tête baissée. Je pense que mon père me détestait vraiment, et pourtant, à part cette faute, je travaillais vraiment bien.

Je faisais la lessive dans l'après-midi, avant que la nuit tombe. Je m'occupais de tout le linge de la maison, je battais les peaux de mouton, je balayais, cuisinais, nourrissais les bêtes, nettoyais l'écurie. Les moments de repos étaient rares.

On ne sortait jamais le soir. Mon père et ma mère, eux, sortaient très souvent, ils allaient chez les voisins, chez des amis. Mon frère sortait aussi, mais nous jamais. Nous n'avions pas d'amies, ma sœur aînée ne venait jamais nous voir. La seule personne étrangère à la maison que je voyais parfois, c'est une voisine, Enam. Elle avait une tache dans l'œil, les gens se moquaient d'elle, et tout le monde savait qu'elle n'avait jamais été mariée.

Depuis la terrasse, je voyais la villa des gens riches. Ils étaient sur leur terrasse avec des lumières, et je les entendais rire, je voyais qu'ils mangeaient dehors, même tard le soir. Mais, chez nous, on était enfermées comme des lapins dans nos chambres. Dans le village, je me souviens seulement de cette famille riche, pas très loin de chez moi, et d'Enam, la vieille fille toujours seule, assise dehors devant sa maison. La seule distraction, c'était le trajet en camionnette pour aller au marché.

Les moments de repos étaient si rares... Quand on ne travaillait pas pour nous, on allait aider les autres villageois et ils faisaient la même chose pour nous.

On était plusieurs filles plus ou moins du même âge dans le village, et on nous faisait monter dans un autocar pour aller ramasser les choux-fleurs dans un grand champ. Je m'en souviens, de ce champ de choux-fleurs ! Il était si grand qu'on ne voyait pas le bout, et on avait l'impression que jamais on n'arriverait à tout cueillir ! Le chauffeur était tellement petit qu'il mettait un coussin sur le siège pour conduire. Il avait une drôle de tête ronde, minuscule, avec des cheveux ras.

Toute la journée on a coupé les choux-fleurs, à quatre pattes, toutes les filles en rang comme d'habitude, surveillées par une femme déjà âgée qui avait un bâton. Et pas question de traîner. On les entassait dans un gros camion. La journée finie, on a laissé le camion sur place et on est remontées dans le car pour rentrer au village. Il y avait beaucoup d'orangers de chaque côté de la route. Et comme nous avions très soif, le chauffeur a arrêté le car en nous disant d'aller chercher chacune une orange et de revenir vite.

« Une orange et *halas* ! », ce qui voulait dire « une mais pas deux ! ».

Toutes les filles sont remontées dans le car en courant, et le chauffeur qui s'était garé dans un petit chemin a fait marche arrière. Puis il a arrêté brusquement le moteur, est descendu et s'est mis à crier si fort que toutes les filles sont ressorties du car, affolées.

Il avait écrasé une des jeunes filles. Sa tête était passée sous la roue. Comme j'étais juste devant, je me suis baissée, j'ai soulevé sa tête par les cheveux, croyant qu'elle était vivante. Mais sa tête est restée collée sur la terre et je me suis évanouie d'effroi.

Ensuite, je me souviens que j'étais à nouveau dans le car sur les genoux de la femme qui nous surveillait. Le chauffeur s'arrêtait devant chaque maison pour déposer les filles, puisqu'on n'avait pas le droit de rentrer toute seule, même dans le village. Quand je suis descendue devant chez moi, la surveillante a expliqué à ma mère que j'étais malade. Maman m'a couchée, m'a donné à boire. Elle était gentille avec moi ce soir-là, parce que la femme lui avait tout expliqué. Elle était obligée de raconter l'accident à chaque maman et le chauffeur attendait. Peut-être parce qu'il fallait que tout le monde dise la même chose ?

C'est bizarre que ce soit arrivé justement à cette fille. Quand on cueillait les choux-fleurs, elle était toujours au milieu de la rangée, jamais sur les bords. Or, chez nous, une fille qui est protégée ainsi par les autres filles, cela veut dire qu'elle est capable de s'enfuir. Et j'avais remarqué que cette fille était toujours encadrée, qu'elle ne devait pas changer de place dans la ligne. Pour moi, c'était bizarre, surtout qu'on ne parlait pas avec elle. Il ne fallait même pas la regarder parce qu'elle était charmuta, et si on parlait avec elle, on nous traiterait de charmuta nous aussi. Est-ce que le chauffeur avait fait exprès de l'écraser ? La rumeur a duré très longtemps dans le village. La police est venue nous questionner, ils nous ont rassemblées dans le champ où ça s'était passé. Il y avait trois policiers et c'était quelque chose pour nous, de voir des hommes en policiers. Il ne fallait pas les regarder dans les yeux, et on devait les respecter, on était très impressionnées. On a montré exactement l'endroit. Je me suis baissée. Il y avait une fausse tête, et je l'ai soulevée avec la main. Ils m'ont dit : « *Halas*, *halas*, *halas...* » C'était fini.

On est remontées dans le car. Le chauffeur pleurait ! Il conduisait vite et bizarrement. Le car faisait des bonds sur la route, et je me souviens que la surveillante tenait sa poitrine à deux mains parce que ses seins faisaient des bonds aussi. Le chauffeur a été en prison. Pour nous, et pour tout le village, ce n'était pas un accident.

Pendant très longtemps après j'ai été malade. Je me revoyais soulevant la tête écrasée de cette fille, et j'avais peur de mes parents, à cause de tout ce qu'on disait sur elle. Elle avait dû faire quelque chose de pas bien, mais je ne sais pas quoi. En tout cas, on disait qu'elle était charmuta. Je ne dormais pas la nuit, je voyais tout le temps cette tête écrasée, j'entendais le bruit des roues quand le car a reculé. Jamais je n'oublierai cette fille. Malgré toutes les souffrances que j'ai subies moi-même, cette image m'est restée dans la tête. Elle avait le même âge que moi, les cheveux courts, une très jolie coupe de cheveux. C'était bizarre aussi qu'elle ait les cheveux courts. Les filles du village ne coupaient jamais leurs cheveux. Pourquoi elle ? Elle était différente de nous, habillée plus joliment. Qu'est-ce qui avait fait d'elle une charmuta ? Je ne l'ai jamais su. Mais je l'ai su pour moi.

Au fur et à mesure que je prenais de l'âge, j'attendais d'être demandée en mariage avec un grand espoir. Mais personne ne demandait Kaïnat, et elle ne semblait pas s'en inquiéter. Comme si elle était déjà résignée à rester vieille fille, ce que je trouvais affreux pour elle, autant que pour moi qui devais attendre mon tour.

Je commençais à avoir honte de me montrer aux mariages des autres, de peur qu'on se moque de moi. Être mariée, c'était ce que je pouvais espérer de mieux comme liberté. Pourtant, même mariée, une femme risquait sa vie au moindre écart. Je me souviens de cette femme qui avait quatre enfants. Son mari travaillait sûrement comme employé à la ville, parce qu'il avait toujours une veste sur les épaules. Quand je l'apercevais de loin, il marchait toujours vite, ses chaussures faisaient comme un brouillard de sable derrière lui.

Sa femme s'appelait Souheila, et un jour j'ai entendu ma mère dire que le village racontait des choses sur elle. Les gens pensaient qu'elle avait une liaison avec le propriétaire du magasin car elle allait souvent acheter du pain, des légumes et des fruits. Peut-être qu'elle n'avait pas de grand jardin comme nous. Peut-être qu'elle voyait cet homme en cachette, comme ma mère l'avait fait avec Fadel. Un jour, ma mère a raconté que ses deux frères étaient entrés chez elle et lui avaient coupé la tête. Et qu'ils avaient laissé le corps par terre et s'étaient promenés dans le village avec la tête coupée. Elle disait aussi que, lorsque son mari était rentré de son travail, il était heureux que sa femme soit morte, puisqu'elle était soupçonnée de faire quelque chose avec le patron du magasin. Pourtant elle n'était pas très jolie, et elle avait déjà quatre enfants.

Je n'ai pas vu ces hommes se promener dans le village avec la tête de leur sœur, je n'ai fait qu'entendre le récit de ma mère. J'étais assez mûre déjà pour comprendre, mais je n'ai pas eu peur. Peut-être parce que je n'ai rien vu, justement. Il me semblait que, dans ma famille, personne n'était charmuta, que ces choses-là ne m'arriveraient pas. Cette femme avait été punie, c'était normal. Plus normal qu'une jeune fille de mon âge écrasée sur la route.

Je ne réalisais pas que de simples commérages, des suppositions de voisins, des mensonges même, pouvaient faire de n'importe quelle femme une charmuta, et la conduire à la mort, pour l'honneur des autres.

C'est ce que l'on appelle un crime d'honneur, « *Jarimat al Sharaf* », et, pour les hommes de mon pays, ce n'est pas un crime.

Le sang de la mariée

Les parents de Hussein sont venus demander Noura. Ils sont venus plusieurs fois pour en discuter parce que lorsqu'on marie une fille chez nous, on la vend pour de l'or. Les parents de Hussein sont donc venus avec de l'or, ils ont mis cet or dans un joli plat doré, et le père de Hussein a dit : « Voilà, la moitié pour Adnan, le père, et l'autre moitié pour sa fille, Noura. »

S'il n'y a pas assez d'or, on en discute. Les deux parts sont importantes, parce que le jour du mariage, la fille devra montrer à tout le monde l'or que son père a obtenu pour la vendre.

Ce n'est pas pour Noura, cette quantité d'or qu'elle portera le jour du mariage. Le nombre de bracelets, le collier, le diadème, elle en a besoin pour son honneur et celui de ses parents. Ce n'est pas pour son avenir, ou pour elle-même, mais elle pourra se promener dans le village, et les gens diront sur son passage combien d'or elle a ramené à ses parents. Si une fille n'a pas de bijoux le jour de son mariage, c'est terriblement honteux pour elle et sa famille. Mon père oubliait de nous dire ça, quand il criait après ses filles qui ne rapportent même pas ce que rapporte une brebis. Quand il vend sa fille, il a droit à la moitié de l'or !

Alors il peut marchander. La discussion se passe en dehors de nous, seulement entre les parents. Lorsque l'affaire est conclue, il n'y a pas de papier signé, c'est la parole des hommes qui compte. Uniquement celle des hommes.

Les femmes n'ont rien le droit de dire, ma mère et la mère de Hussein pas plus que la future mariée. Personne n'a encore vu l'or, mais tout le monde sait que le mariage est conclu puisque la famille de Hussein est venue. Mais il ne faut pas déranger, ne pas se montrer, il faut respecter le marchandage des hommes.

Ma sœur Noura sait qu'un homme est entré dans la maison avec ses parents, donc qu'elle va sûrement se marier. Elle est très contente. Elle me dit qu'elle en a envie pour mieux s'habiller, s'épiler les sourcils, pour avoir une famille à elle et des enfants. Noura est timide, avec un joli visage. Elle se fait quand même du souci pendant que les pères discutent, elle aimerait bien savoir combien d'or ils ont apporté, elle prie Dieu qu'ils tombent d'accord.

Elle ne sait pas à quoi ressemble son futur mari, elle ignore son âge, et elle ne demandera pas comment il est. C'est honteux de poser la question. Même à moi qui pourrais me cacher quelque part pour voir la tête qu'il a. Peut-être qu'elle a peur que j'aille le dire aux parents.

Quelques jours après, mon père fait venir Noura en présence de ma mère et lui dit : « Voilà, tu vas te marier tel jour. » Je n'étais pas là, car je n'avais pas le droit d'être avec eux.

Je ne devrais même pas dire : « Je n'avais pas le droit », ça n'existe pas. C'est la coutume, elle est ainsi et c'est tout. Si ton père te dit : « Reste dans ce coin toute ta vie », tu resteras dans ce coin toute ta vie. Si ton père te met une olive dans une assiette et qu'il te dit : « Aujourd'hui tu n'as que ça à manger », tu ne manges que ça. Il est très difficile de sortir de cette peau d'esclave consentie, puisque l'on naît avec en étant fille, et que, durant toute notre enfance, cette manière de ne pas exister, d'obéir à l'homme et à sa loi, est entretenue en permanence, par le père, la mère, le frère, et que la seule issue qui consiste à se marier la perpétue avec le mari.

Lorsque ma sœur Noura accède à ce statut tant espéré, j'estime mon âge à moins d'une quinzaine d'années. Mais peut-être que je me trompe, même de beaucoup car, à force d'y réfléchir et d'essayer de mettre ma mémoire en ordre, je me suis rendu compte que ma vie en ce temps-là n'avait aucun des repères que l'on connaît en Europe. Pas d'anniversaire, pas de photographie, c'est une vie de petit animal qui mange, travaille le plus vite possible, dort et prend des coups. Puis on sait que l'on est « mûre », c'est-à-dire en danger de s'attirer la colère de la société au moindre faux pas. Et à partir de cet âge « mûr » le mariage est la prochaine étape. Normalement, une fille est mûre à dix ans et se marie entre quatorze et dix-sept ans au plus tard. Noura doit approcher la limite du plus tard.

La famille a donc commencé à préparer le mariage, à avertir les voisins. Comme la maison n'est pas assez grande, on va louer la cour commune pour la réception. C'est un endroit très joli, une sorte de jardin fleuri où pousse du raisin et une cour pour danser. Il y a une véranda couverte qui permet de se tenir à l'ombre, et abritera la mariée.

Mon père a choisi le mouton. On prend toujours l'agneau le plus jeune parce que la viande est tendre et ne va pas cuire longtemps. Si la viande doit cuire longtemps, on dira que le père n'est pas bien riche, qu'il a pris un vieux mouton et ne donne pas bien à manger. Sa réputation ne sera pas bonne dans le village, et pour celle de sa fille ce sera pire encore.

C'est donc mon père qui choisit l'agneau. Il va dans l'étable, observe, attrape celui qu'il a choisi, et on le traîne dans le jardin. Il lui attache les pattes pour ne pas qu'il bouge, prend le couteau et l'égorge d'un seul coup de lame. Il prend ensuite la tête et la tord un peu au-dessus d'un grand plat pour que le sang sorte. Je regarde ce sang couler avec un vague dégoût. Les pattes du mouton bougent encore. Le travail de mon père étant fini, les femmes viennent s'occuper de la viande. Elles font bouillir de l'eau pour nettoyer l'intérieur du mouton. On ne mange pas les tripes, mais elles servent certainement à quelque chose, car on les met soigneusement de côté. Ensuite il faut retirer la peau, et c'est ma mère qui se charge de ce travail délicat. La peau ne doit pas être abîmée. Elle doit rester entière. Le mouton est maintenant par terre, bien vidé et propre. Avec son grand couteau, ma mère sépare la peau de la viande. Elle coupe au ras de la chair et elle tire d'un geste précis. Morceau par morceau le cuir se décolle jusqu'à ce que la peau tout entière se sépare du corps. Elle va la laisser sécher pour la vendre ou la garder. La plupart des peaux de nos moutons sont vendues. Mais on est mal vu si l'on amène une seule peau au marché. Il faut en apporter plusieurs pour montrer qu'on est riche.

Cette veille du mariage, à la nuit tombée, après le mouton, ma mère s'occupe de ma sœur. Elle prend une vieille poêle, un citron, un peu d'huile d'olive, un jaune d'œuf et du sucre. Elle fait fondre tout ça dans cette poêle et s'enferme avec Noura. C'est avec cette préparation qu'elle va l'épiler. Il faut enlever absolument tous les poils sur le sexe. Tout doit être nu et propre. Ma mère dit que si par malheur on oublie un poil, l'homme s'en ira sans même regarder sa femme en disant qu'elle est sale !

Cette histoire de poils qui seraient sales me préoccupe. On n'épile pas les jambes ni les bras, uniquement le sexe. Et aussi les sourcils mais pour faire joli. Lorsque les poils apparaissent sur une fille, c'est le premier signe qui la rend femme, avec les seins. Et elle mourra avec ses poils, puisque, comme Dieu nous a créées, il nous reprend. Et pourtant toutes les filles sont fières à l'idée de se faire épiler... C'est la preuve que l'on va appartenir à un autre homme que son père. On devient vraiment quelqu'un, sans poils. Il me semble que c'est plus une punition qu'autre chose car j'entends ma sœur crier. Quand elle sort de la chambre, une petite foule de femmes qui attendaient derrière la porte tapent dans leurs mains et crient des youyous. C'est une grande joie : ma sœur est prête pour le mariage, le fameux sacrifice de sa virginité.

Après cette séance, elle peut aller dormir. Les femmes rentrent chez elles aussi puisqu'elles l'ont vue, et que tout a été fait dans les règles.

Le lendemain, au lever du soleil, on prépare à manger dans la cour du mariage. Il faut que tout le monde voie se préparer la nourriture et estime le nombre de plats. Et surtout il ne faut pas rater la cuisson d'une seule poignée de riz, sinon tout le village en parlera. La moitié de la cour est consacrée à cette nourriture. Il y a la viande, le couscous, les légumes, le riz, les poulets et beaucoup de sucreries, des gâteaux que ma mère a faits avec l'aide des voisines, car elle n'aurait jamais pu y arriver toute seule pour tout ce monde.

Les plats étant disposés, offerts au regard de tous, ma mère va préparer ma sœur avec une autre femme. La robe est brodée devant, longue jusqu'aux chevilles, avec des boutons en tissu. Noura est magnifique quand elle sort de la chambre, couverte d'or. Belle comme une fleur. Elle a des bracelets, des colliers, et surtout, ce qui compte avant tout pour une mariée, le diadème ! Il est fait d'un ruban de pièces d'or attaché autour de la tête. Ses cheveux dénoués ont été lissés avec de l'huile d'olive pour les faire briller. On va l'installer sur son trône. C'est une table surmontée d'une chaise, recouverte d'une nappe blanche. Noura doit monter dessus, s'asseoir et attendre ainsi qu'on vienne l'admirer avant l'arrivée de son futur époux. Toutes les femmes se bousculent pour entrer dans la cour et contempler la mariée en faisant les youyous.

Et les hommes dansent dehors. Ils ne se mêlent pas aux femmes dans la cour.

On n'a pas même le droit d'être à la fenêtre pour regarder comment ils dansent.

Le marié va maintenant faire son entrée. La fiancée baisse timidement la tête. Elle n'a pas encore le droit de le regarder en face, or c'est la première fois qu'elle va enfin voir à quoi il ressemble. Je suppose que ma mère lui a donné quelques indications sur son allure, sa famille, son travail, son âge... mais rien n'est sûr. On lui a peut-être simplement dit que ses parents avaient apporté l'or qu'il fallait.

Ma mère prend un voile qu'elle dépose sur la tête de ma sœur et il arrive comme un prince, bien habillé. Il s'approche d'elle. Noura garde les mains posées sagement sur les genoux, la tête baissée sous le voile pour montrer sa bonne éducation. Ce moment est supposé représenter l'essentiel de la vie de ma sœur.

Je regarde comme les autres, et je l'envie. Je l'ai toujours enviée d'être l'aînée, d'accompagner ma mère partout, alors que je trimais à l'écurie avec Kaïnat. Je l'envie de quitter cette maison la première. Chaque fille voudrait être à la place de la mariée ce jour-là, en belle robe blanche et couverte d'or. Elle est si belle. Noura n'a pas de chaussures, c'est ma seule déception. Avoir les pieds nus, pour moi, c'est comme une misère. J'ai vu des femmes dans la rue, en allant au marché, avec des chaussures aux pieds. Peut-être parce que les hommes en portent toujours, les chaussures sont pour moi le symbole de la liberté. Marcher sans que les cailloux et les épines me trouent la peau... Noura est pieds nus, et Hussein a de très belles chaussures cirées qui me fascinent.

Hussein avance vers ma sœur. On installe pour lui, sur la table haute, une autre chaise recouverte d'une nappe blanche. Il s'assied, lève le voile blanc, et les youyous résonnent dans la cour. La cérémonie est faite. L'homme vient de découvrir le visage de celle qui est restée pure pour lui et lui donnera des fils.

Ils restent là, assis tous les deux comme des mannequins. On danse, on chante, on mange, mais eux ne bougent pas. On leur apporte à manger sur place et, pour ne pas qu'ils les salissent, on protège leurs beaux habits avec des linges blancs.

Le marié ne touche pas sa femme, il ne l'embrasse pas, ne lui prend pas la main. Il ne se passe rien entre eux, aucun geste d'amour ou de tendresse. Ils sont une image fixe du mariage, et ça dure longtemps.

J'ignore tout de cet homme-là, son âge, s'il a des frères ou des sœurs, à quoi il travaille, et où il habite avec ses parents. Pourtant il est du même village. On ne va pas chercher une femme ailleurs que chez soi ! C'est la première fois moi aussi que je vois cet homme. On ne savait pas s'il était beau ou laid, petit, grand, gros, aveugle, manchot, la bouche tordue ou pas, s'il avait des oreilles ou pas, ou un grand nez... Hussein est un très bel homme. Il n'est pas très grand, un mètre soixante-dix environ, les cheveux crépus, très courts, le corps plutôt enveloppé. Son visage noiraud, basané, a l'air bien nourri. Le nez très court, assez épaté, avec des narines larges, il a de l'allure. Il marche fièrement, et n'a pas l'air méchant au premier regard, mais il l'est peut-être. Je le sens bien, par moments il parle nerveusement.

Pour faire comprendre que la fête va se terminer et que les invités vont partir, les femmes chantent, en s'adressant directement au mari, quelque chose qui dit à peu près ceci : « Protège-moi maintenant. Si tu ne me protèges pas, tu n'es pas un homme... » Et la dernière chanson obligatoire : « On ne sort pas d'ici si tu ne danses pas. »

Il faut qu'ils dansent tous les deux pour conclure la cérémonie.

Le mari fait descendre sa femme – cette fois il la touche du doigt, elle lui appartient – et ils dansent ensemble. Certains ne dansent pas, parce qu'ils sont timides. Ma sœur a beaucoup dansé avec son mari, et c'était magnifique pour le village.

Le mari emmène maintenant sa femme chez lui, c'est déjà la tombée de la nuit. Son père lui a offert une maison, sinon ce n'est pas un homme. La maison de Hussein n'est pas très loin de celle de ses parents, dans le village même. Ils s'en vont à pied, seuls tous les deux. Nous les regardons partir en pleurant. Même mon frère est en larmes. On pleure parce qu'elle nous a quittés, on pleure parce qu'on ne sait pas ce qu'il va lui arriver si elle n'est pas vierge pour son mari. On n'est pas tranquilles. Il va falloir attendre le moment où le mari montrera le linge au balcon ou l'accrochera à la fenêtre au lever du jour afin que les gens constatent officiellement la présence du sang de la vierge. Ce linge doit être visible de tous, et un maximum de gens du village doit venir le voir. S'il n'y a que deux ou trois témoins, ce n'est pas suffisant. La preuve peut être contestée, on ne sait jamais.

Je me souviens de leur maison, de leur cour. Il y avait un mur de pierre et de ciment tout autour. Tout le monde était debout à attendre. Tout à coup, mon beau-frère s'est montré avec le linge, et a déclenché les youyous. Les hommes sifflent, les femmes chantent, frappent dans leurs mains, parce qu'il a présenté le linge. C'est un linge spécial qu'on met sur le lit pour la première nuit. Hussein l'accroche maintenant au balcon avec des pinces blanches de chaque côté. Le mariage est en blanc, le linge est blanc, les pinces sont blanches. Le sang est rouge.

Hussein salue la foule avec la main et il rentre. C'est la victoire.

Le sang du mouton, le sang de la femme vierge, toujours du sang. Je me souviens qu'à chaque Aïd mon père tuait un mouton. Le sang remplissait une bassine, et il plongeait un chiffon dedans pour en peindre la porte d'entrée et le carrelage. Il fallait marcher dedans pour franchir cette porte peinte de sang jusqu'en haut. Ça me rendait malade. Tout ce qu'il tuait me rendait malade de peur. Lorsque j'étais enfant, on m'a obligée comme les autres à regarder mon père tuer les poulets, les lapins, les moutons, et avec ma sœur on était persuadées qu'il pouvait nous tordre le cou comme un poulet, nous saigner de la même façon qu'un mouton. La première fois, j'étais tellement terrorisée que je me suis réfugiée dans les jambes de ma mère pour ne pas voir, mais elle m'a forcée à regarder. Elle voulait que je sache comment mon père tuait pour que je fasse partie de la famille, pour ne pas que j'aie peur. Et j'ai toujours eu peur quand même, parce que le sang représentait mon père.

Le lendemain du mariage, je contemplais comme les autres le sang de ma sœur sur le linge blanc. Ma mère pleurait, moi aussi. On pleure beaucoup à ce moment-là, parce qu'il faut manifester sa joie, saluer l'honneur du père qui l'a gardée vierge. Et on pleure aussi de soulagement, car Noura a triomphé de la grande épreuve. De l'unique épreuve de sa vie. Il ne lui reste plus qu'à prouver qu'elle peut donner un fils.

J'espère la même chose pour moi, c'est normal. Et je suis bien contente qu'elle soit mariée : après, ce sera mon tour. À ce moment-là, bizarrement, je ne pense même pas à Kaïnat, comme si ma sœur d'un an mon aînée ne comptait pas. Et pourtant c'est à elle de se marier avant moi !

Et puis on rentre. Et on va débarrasser la cour. C'est la famille de la mariée qui va laver la vaisselle, nettoyer, rendre la cour propre, et il y a beaucoup à faire. Parfois les voisines viennent donner un coup de main, mais ce n'est pas une règle.

À partir du moment où elle est mariée, Noura ne vient plus beaucoup à la maison, elle n'a pas de raisons de venir d'ailleurs, car elle va s'occuper de sa famille. Pourtant, quelques jours après le mariage, moins d'un mois après en tout cas, elle est revenue à la maison se plaindre à maman, et elle pleurait. Comme je ne pouvais pas demander ce qui se passait, j'ai guetté en haut de l'escalier pour essayer de comprendre.

Noura lui a montré la trace des coups. Hussein l'avait tellement frappée qu'elle était marquée sur le visage aussi. Elle a descendu son pantalon pour montrer ses cuisses violettes et ma maman pleurait. Il a dû la traîner par terre par les cheveux, les hommes font tous ça. Mais je n'ai pas entendu pourquoi Hussein l'avait frappée. Il suffit parfois que la jeune épouse ne sache pas très bien faire à manger, qu'elle oublie le sel, qu'il n'y ait pas de sauce parce qu'elle a oublié de mettre un peu d'eau... ça suffit pour être battue. Noura s'est plainte à ma mère, parce que mon père est trop violent et qu'il l'aurait renvoyée chez elle sans l'écouter. Maman l'a écoutée mais ne l'a pas consolée, elle lui a dit : « C'est ton mari, c'est pas grave, tu vas rentrer chez toi. »

Et Noura est rentrée. Battue comme elle l'était. Elle est retournée chez son mari qui l'avait corrigée à coups de bâton.

On n'avait pas le choix. Même s'il nous étranglait, on n'avait pas le choix. En voyant ma sœur dans cet état, j'aurais pu me dire que le mariage ne servait à rien d'autre qu'à être battue comme avant. Mais même à l'idée d'être battue, je voulais me marier plus que tout au monde. C'est une chose curieuse que le destin des femmes arabes, dans mon village en tout cas. On l'accepte naturellement. Aucune idée de révolte ne nous vient. On ignore même ce qu'est la révolte. On sait pleurer, se cacher, mentir s'il le faut pour éviter le bâton, mais se révolter, jamais. Tout simplement parce qu'il n'y a pas d'autre endroit où vivre que chez son père ou son mari. Vivre seule est inconcevable.

Hussein n'est même pas venu chercher sa femme. D'ailleurs elle n'est pas restée longtemps, ma mère avait tellement peur que sa fille veuille revenir à la maison ! Plus tard, lorsque Noura est tombée enceinte et que l'on espérait un garçon, elle était la princesse de sa belle-famille, de son mari et de ma famille. Parfois, j'étais jalouse. Elle était plus importante que moi dans la famille. Déjà avant son mariage elle parlait plus avec ma mère, et après elles étaient encore plus proches. Quand elles allaient chercher le foin ensemble, elles prenaient plus de temps parce qu'elles parlaient beaucoup toutes les deux. Elles s'enfermaient dans une pièce, la porte était verte, je m'en souviens, et moi je passais devant. J'étais seule, abandonnée, parce que ma sœur était derrière cette porte avec ma mère, à se faire épiler. La pièce servait aussi à entreposer le blé, les olives et la farine.

Je ne sais pas pourquoi cette porte m'est revenue brutalement en mémoire. Je la franchissais souvent, presque tous les jours, avec des sacs. Il s'est passé quelque chose d'inquiétant derrière cette porte, mais quoi ? Je crois que je me suis cachée entre les sacs, de peur. Je me vois comme un singe, accroupie à genoux dans le noir. Cette pièce n'a pas beaucoup de lumière. Je suis cachée, là, j'ai le front par terre. Le carrelage est brun, des tout petits carreaux bruns. Et mon père a mis de la peinture blanche entre les carreaux. J'ai peur de quelque chose. Je vois ma mère, elle a un sac sur la tête. C'est mon père qui lui a mis ce sac sur la tête. Est-ce que c'était là ou ailleurs ? Est-ce que c'est pour la punir ? Est-ce que c'est pour l'étrangler ? Je ne peux pas crier. En tout cas c'est mon père, il tient le sac bien serré derrière la tête de maman, je vois son profil, son nez contre le tissu. Il la tient par les cheveux d'une main et de l'autre il maintient le sac.

Elle est habillée en noir. Il a dû se passer quelque chose quelques heures avant ? Quoi ? Ma sœur est venue à la maison, parce que son mari la battait. Maman l'a écoutée, est-ce que maman ne doit pas plaindre sa fille ? Elle ne doit pas pleurer, elle ne doit pas essayer de la défendre auprès de mon père ? Il me semble que les souvenirs s'enchaînent à partir de cette porte verte. La visite de ma sœur, et moi cachée entre les sacs pleins de blé, ma mère que mon père étouffe avec un autre sac vide. J'ai dû entrer là pour me cacher. C'est une habitude pour moi de me cacher. Dans l'écurie, dans la chambre ou dans l'armoire du corridor où on laisse sécher les peaux de mouton avant d'aller les vendre. Elles sont pendues comme au marché, et je me cache là-dedans, même si j'étouffe, pour ne pas qu'on m'attrape. Mais je me cache rarement entre les sacs de la réserve, j'ai trop peur qu'il en sorte des serpents. Si je me suis cachée là, c'est que je crains quelque chose de mal pour moi aussi.

C'est peut-être le jour où mon père a essayé de m'étouffer avec une peau de mouton, dans une chambre à l'étage. Il veut que je lui dise la vérité, que je lui dise si maman l'a trompé ou non. Il a plié la laine en deux. Et il m'appuie sur la tête. J'aime mieux mourir que trahir ma mère. Même si je l'ai vue de mes propres yeux se cacher avec un homme. Si je dis la vérité, il nous tuera toutes les deux. Même avec un couteau sur la gorge, je ne peux pas trahir. Et je n'arrive plus à respirer. Est-ce qu'il me lâche, ou est-ce que je lui échappe ? En tout cas je cours me cacher en bas, derrière cette porte verte, entre ces sacs immobiles qui ont l'air de monstres. Ils m'ont toujours fait peur dans cette pièce presque noire. Je rêvais que mon père allait vider le blé la nuit et remplissait les sacs de serpents !

Voilà comment, parfois, des morceaux de ma vie d'avant essaient de trouver leur place dans ma mémoire. Une porte verte, un sac, mon père qui veut étouffer ma mère, ou moi pour que je parle, ma peur dans le noir, et les serpents.

Il n'y a pas longtemps, je remplissais un grand sac-poubelle et un morceau de papier d'emballage en plastique est resté coincé en haut. Petit à petit il est descendu au fond de la poubelle en faisant un bruit particulier. J'ai sursauté, comme si un serpent allait surgir de cette poubelle. J'en tremblais presque, et je me suis mise à pleurer comme une enfant.

Mon père savait tuer un serpent. Il avait une canne spéciale, avec deux crochets au bout. Il le coinçait entre les deux crocs, et le serpent ne pouvait plus bouger. Il le tuait ensuite avec un bâton. Comme il était capable d'immobiliser les serpents pour les tuer, il était aussi capable de les mettre dans les sacs pour qu'ils me mordent lorsque je plongerai ma main dedans pour prendre de la farine. Voilà pourquoi j'avais peur de cette porte verte, qui me fascinait aussi parce que ma mère et ma sœur s'y épilaient, sans moi. Et que je n'étais toujours pas demandée officiellement en mariage.

Pourtant la rumeur était parvenue jusqu'à mes oreilles, alors que j'avais à peine douze ou treize ans... Une famille avait parlé de moi à mes parents, officieusement. Il y avait un homme pour moi quelque part dans le village. Mais il fallait attendre. Kaïnat avait son tour avant moi.

Assad

J'ai été la seule à partir en courant, à crier quand son cheval a glissé et qu'il est tombé. J'ai toujours l'image de mon frère devant moi : il avait une chemise verte avec plein de couleurs, et comme il y avait du vent sa chemise flottait derrière lui. Il était magnifique sur son cheval. Je l'aimais tellement, mon frère, que cette image ne m'a jamais quittée.

Je crois que j'étais encore plus gentille avec lui après la disparition de Hanan. J'étais à ses pieds. Je n'avais pas peur de lui, je ne craignais pas qu'il me fasse du mal... Peut-être parce que j'étais plus âgée que lui ? Que nous étions plus proches ? Pourtant il nous a battues, lui aussi, lorsque mon père n'était pas là. Il s'est même attaqué à ma mère une fois. Ils se disputaient, il la tirait par les cheveux et elle pleurait... je les revois nettement, sans pour autant me souvenir de la raison de cette bagarre. J'ai toujours cette grande difficulté à rassembler les images, à leur trouver une signification. Comme si ma mémoire palestinienne s'était éparpillée en petits morceaux dans la nouvelle vie que j'ai dû construire en Europe.

C'est difficile à comprendre aujourd'hui, après ce que mon frère a fait, mais à l'époque, une fois la terreur passée, je n'ai certainement pas réalisé que Hanan était morte. Ce n'est qu'aujourd'hui, en revoyant la scène qui a surgi dans ma mémoire, que je ne peux pas penser autre chose. En reliant les événements entre eux, logiquement et avec du recul. D'une part mes parents n'étaient pas là, or chaque fois qu'un drame se produit, c'est-à-dire qu'une femme est condamnée par sa famille, celui qui doit l'exécuter est le seul présent. Ensuite je n'ai jamais revu Hanan à la maison. Jamais. Assad était fou de rage ce soir-là, humilié d'être à l'écart de l'accouchement de sa femme, humilié par ses beaux-parents. Est-ce que la nouvelle de la mort du bébé attendu est arrivée par ce téléphone ? Est-ce que Hanan lui a mal parlé ? Je ne sais pas. Les violences chez mes parents, et dans notre village en général, étaient si répétitives et quotidiennes envers les femmes ! Et j'aimais tellement Assad. Plus mon père détestait son fils, plus j'adorais ce frère unique.

Je me souviens de son mariage comme d'une fête extraordinaire. Probablement le seul souvenir de véritable joie dans ce passé de folie. Je devais avoir environ dix-huit ans et j'étais vieille. J'avais même refusé d'assister à un autre mariage, parce que les filles se moquaient visiblement de moi. Des réflexions, des coups de coude, des rires désagréables sur mon passage. Et je pleurais tout le temps. Parfois j'avais honte de sortir dans le village avec mon troupeau, peur du regard des autres. Je n'étais pas mieux que la voisine avec sa tache dans l'œil et dont personne ne voulait. Ma mère m'a autorisée à ne pas aller au mariage d'une voisine, elle comprenait mon désespoir. C'est là que j'ai osé parler à mon père : « Mais c'est ta faute ! Laisse-moi me marier ! » Il ne voulait toujours pas, et j'ai pris des coups sur la tête : « Ta sœur doit être mariée avant ! Fiche le camp ! » Je l'ai dit une fois, pas deux.

Mais pour le mariage de mon frère, toute la famille est heureuse et moi encore plus. Elle s'appelle Fatma, et je ne comprends pas pourquoi elle vient d'une famille étrangère, d'un autre village. Est-ce que c'est parce qu'on n'avait pas de famille avec une fille à marier autour de nous ? Mon père a loué des cars pour aller au mariage. Un pour les femmes et un pour les hommes, celui des hommes est devant, bien entendu.

On traverse des montagnes, et chaque fois qu'on passe un virage les femmes font des youyous pour remercier Dieu de nous avoir tous protégés du ravin, tellement c'est dangereux. Le paysage ressemble à un désert, la route n'est pas goudronnée, c'est de la terre sèche et noire, et les roues du car des hommes font un grand nuage de poussière devant nous. Mais tout le monde danse. J'ai un tambourin coincé entre mes genoux et j'accompagne les youyous des femmes. Je danse aussi, avec mon foulard, je suis très habile pour ça. Tout le monde danse, tout le monde est joyeux, le chauffeur est le seul à ne pas danser !

Le mariage du frère est une fête bien plus grande que celle de la sœur. Sa femme est jeune, belle, petite de taille et très basanée. Ce n'est pas une enfant, elle a à peu près le même âge qu'Assad. Au village, chez nous, on s'est un peu moqué de mon père et de ma mère parce que mon frère est « obligé » d'épouser une fille d'âge mûr, et une inconnue. Il aurait dû épouser une fille plus jeune que lui, ce n'est pas normal d'épouser une femme de son âge ! Et pourquoi aller la chercher ailleurs ? C'est une très belle fille, et elle a de la chance d'avoir beaucoup de frères. Mon père a dépensé beaucoup d'or pour la demander. Elle a eu beaucoup de bijoux.

Le mariage dure trois jours entiers de danse et de fête. Et au retour je me souviens que le chauffeur a arrêté le car sur la route et que nous avons encore dansé. Je me vois avec mon foulard et mon tambourin, mon cœur est heureux, je suis fière d'Assad. Il est comme le bon Dieu pour nous, et c'est très étrange cet amour pour lui qui ne veut pas s'en aller. Il est le seul que je sois incapable de haïr, même s'il me tapait, même s'il a battu sa femme, même s'il est devenu un assassin.

Il est à mes yeux Assad le *ahouia*. Assad mon frère. *Assad ahouia*. Bonjour mon frère Assad. Jamais je ne pars travailler sans lui dire : « Bonjour, mon frère Assad ! » Une véritable dévotion. Enfants, nous avons partagé beaucoup de choses. Maintenant qu'il est marié et qu'il vit chez nous avec sa femme, je continue à le servir. Si l'eau chaude vient à manquer pour son bain, je vais la faire chauffer pour lui, je nettoie la baignoire, je lave et je range son linge. Je le recouds s'il en a besoin avant de le remettre en place.

Normalement, je ne devrais pas l'aimer et le servir avec autant d'amour. Car il est comme les autres hommes. Très vite après son mariage, Fatma est battue et lui fait honte en retournant chez ses parents. Et, au contraire de la coutume, son père et sa mère ne la ramènent pas chez nous de force le jour même. Ils sont peut-être plus riches, plus en avance que nous, ou, comme elle est leur seule fille, ils l'aiment davantage, je ne sais pas. Je crois que les bagarres entre mon père et Assad ont commencé à cause de ça. Mon frère avait voulu cette femme d'un autre village, il avait obligé son père à donner beaucoup d'or, et le résultat était que cette femme faisait une fausse couche au lieu de donner un fils, qu'elle nous apportait le déshonneur en retournant chez elle ! Je n'ai pas assisté aux réunions de famille, bien sûr, et je n'ai rien dans ma mémoire pour justifier les déductions que je fais aujourd'hui, mais je me souviens parfaitement de mon père sur la terrasse avec son panier de cailloux, les jetant l'un après l'autre sur la tête d'Assad. Et de cette armoire que mon frère avait coincée contre la porte de sa chambre pour l'empêcher d'y entrer. Assad voulait peut-être la maison pour lui tout seul, il se comportait alors comme si elle lui appartenait. Je crois que mon père ne voulait pas qu'il ait du pouvoir dans la maison. Qu'il le prive de son autorité et de son argent.

Mon père disait souvent à mon frère : « Tu es encore un enfant ! »

Assad se révoltait d'autant plus qu'il était très sûr de lui et beaucoup trop gâté par nous. Il était le prince de la maison, et chez nous il ne faut surtout pas dire à un homme qu'il est un enfant, c'est une humiliation grave ! Et il criait : « Je suis chez moi ici ! » Mon père ne supportait pas ça. Dans le village, les gens se demandaient ce que Fatma avait fait comme bêtise, pourquoi elle allait si souvent chez son père. Peut-être qu'on l'avait vue avec un autre homme ? Les ragots vont vite dans ce cas-là. On disait de mauvaises choses sur elle, mais ce n'était pas vrai du tout, c'était une gentille fille. Malheureusement, si quelqu'un dit une seule fois : « Elle est mauvaise », pour tout le village elle est mauvaise et c'est fini, elle a le mauvais œil sur elle.

Ma mère était malheureuse de tout cela. Parfois elle essayait de calmer mon père quand il s'en prenait à Assad :

« Pourquoi tu fais ça ? Laisse-le tranquille !

– J'ai envie de le tuer ! Si tu essaies de le protéger, tu y passes aussi ! »

J'ai vu Fatma couchée par terre et mon frère lui donner des coups de pied dans le dos. Un jour, elle avait l'œil très rouge, et son visage était tout bleu. Mais on ne pouvait rien dire ni faire. Entre la violence du père et celle du fils, il ne restait plus qu'à se cacher pour ne pas prendre des coups nous aussi.

Est-ce que mon frère aimait sa femme ? L'amour est un mystère pour moi à ce moment-là. Chez nous on parle de mariage, pas d'amour. D'obéissance et de soumission totale, pas de relations d'amour entre homme et femme. Seulement d'une relation sexuelle obligatoire entre une fille vierge achetée pour son mari. Sinon l'oubli ou la mort. Alors où est l'amour ?

Pourtant je me souviens d'une femme du village, celle qui habitait la maison la plus belle avec son mari et ses enfants. Ils étaient connus pour le luxe de leur maison et pour leur richesse. Les enfants allaient à l'école. C'était une grande famille, car ils se mariaient toujours entre cousins. Chez eux, il y avait du carrelage partout. Même le chemin à l'extérieur était carrelé. Dans les autres maisons c'était des cailloux ou du sable, parfois du goudron. Là c'était une belle allée, avec des arbres devant. Il y avait un homme qui entretenait le jardin et la cour, entourée par une grille de fer forgé qui brillait comme de l'or. On la remarquait de loin, cette maison. Chez nous, on adore tout ce qui brille. Si un homme a une dent en or, c'est qu'il est riche ! Et quand on est riche, il faut le montrer. Cette maison était moderne et toute neuve, magnifique de l'extérieur. Il y avait deux ou trois voitures toujours garées devant. Je n'y suis jamais entrée, bien sûr, mais, lorsque je passais devant avec mes moutons, elle me faisait rêver. Le propriétaire s'appelait Hassan. C'était un monsieur très grand, très basané et très élégant. Ils étaient très liés, lui et sa femme, on les voyait toujours ensemble. Elle était enceinte de jumeaux et elle allait accoucher. Malheureusement l'accouchement s'est mal passé, les jumeaux ont vécu, mais la dame est morte. Paix à son âme car elle était très jeune. C'est le seul enterrement que j'aie vu au village. Ce qui m'a émue et frappée, c'est que toute sa famille criait et pleurait derrière le brancard où reposait le corps, et son mari plus que les autres. De chagrin il déchirait sa longue chemise blanche traditionnelle, en marchant derrière le corps de sa femme. Et sa belle-mère déchirait aussi sa robe. J'ai aperçu les seins nus de cette femme âgée, qui tombaient sur son ventre entre les morceaux de tissu arrachés. Je n'avais jamais vu un désespoir pareil. Cette femme que l'on enterrait était aimée, sa mort affligeait toute sa famille, tout le village.

Est-ce que j'y étais aussi, ou est-ce que j'ai vu l'enterrement depuis la terrasse ? Plutôt de la terrasse car j'étais trop jeune. J'en pleurais en tout cas. Il y avait plein de monde. Ils sont passés lentement dans le village. Et cet homme qui criait sa peine, qui déchirait sa chemise, je ne l'oublierai jamais. Il était si beau avec ses cris d'amour pour sa femme.

C'était un homme qui avait beaucoup de dignité et d'allure.

Les parents de ma mère et de mon oncle habitaient le village, et mon grand-père, Mounther, était lui aussi toujours très soigné. Il était très grand, comme son fils, bien rasé, toujours bien mis, même s'il portait le costume traditionnel. Il avait toujours son « chapelet » à la main et comptait les perles l'une après l'autre entre ses longs doigts. Parfois il venait fumer la pipe avec mon père, et ils avaient l'air de bien s'entendre. Mais un jour ma mère a quitté la maison pour dormir chez ses parents, parce que mon père l'avait trop battue. Elle nous a laissés seuls avec lui. Chez nous, une femme ne peut pas prendre ses enfants avec elle. Qu'ils soient filles ou garçons, ils restent chez leur père. Et plus je grandissais, plus il la battait, plus elle s'en allait souvent. C'est le grand-père Mounther qui la ramenait de force à la maison. Elle partait parfois une semaine, parfois un jour, ou une nuit. Une fois elle est partie au moins un mois et mon grand-père ne voulait plus parler à mon père.

Je crois que si ma mère était morte, elle n'aurait jamais eu un enterrement comme celui de cette femme, et mon père n'aurait pas pleuré ni crié en déchirant sa chemise comme ce monsieur Hassan. Il n'aimait pas ma mère.

J'aurais dû me persuader que l'amour n'existait pas du tout chez nous, en tout cas dans notre maison. Finalement, je n'avais que mon frère à aimer malgré sa violence, et sa folie parfois. Mes sœurs l'aimaient aussi. Noura n'était plus à la maison, mais Kaïnat était comme moi, elle le protégeait et elle applaudissait quand il montait à cheval.

À part les petites sœurs, trop petites pour songer au mariage, il ne restait plus que nous à la maison. Deux vieilles filles. En ce qui concerne Kaïnat, j'avais le sentiment qu'elle se résignait. Elle n'était pas laide, mais... pas très jolie ni très souriante. Kaïnat était différente de moi. Nous étions deux paysannes mal habillées peut-être, mal coiffées... Mais j'étais petite et mince, et elle était assez forte, avec beaucoup trop de poitrine. Chez nous, les hommes aiment les femmes bien en chair, mais ils n'apprécient pas à ce point une grosse poitrine. Elle ne devait pas plaire, elle en était triste et ne pouvait pas faire d'effort pour être plus jolie. Kaïnat était devenue grosse alors qu'elle mangeait la même chose que moi, ce n'était pas sa faute. Et de toute façon ni l'une ni l'autre n'avions la possibilité de nous rendre plus jolies que Dieu nous avait faites. Avec quoi ? Pas de belles robes, toujours les mêmes pantalons blancs ou gris, pas de maquillage ni de bijoux. Et enfermées comme des vieilles poules, rasant toujours les murs, comptant nos pas, le nez baissé, dès que l'on sortait de la maison avec les moutons.

Si Kaïnat n'a pas d'espoir et me ferme le chemin du mariage, je sais, moi, qu'un homme m'a demandée quand même. Ma mère m'a dit : « Le père de Faiez est venu, il t'a demandée pour son fils. Mais on ne peut pas parler du mariage pour l'instant, il faut attendre pour ta sœur. »

Depuis j'imagine qu'il m'attend et qu'il s'impatiente du refus de mes parents.

Mon frère Assad le connaît. Il habite la maison en face de la nôtre, de l'autre côté de la route. Ce ne sont pas des paysans comme nous, ils ne travaillent pas beaucoup leur jardin. Ses parents ont eu trois fils, et il reste Faiez qui n'est pas marié. Il n'y a pas de filles dans la maison, c'est pour cela qu'elle n'est pas entourée de murs, mais d'une jolie clôture, et que la porte n'est jamais fermée à clé. Les murs sont roses et la voiture qui est toujours garée devant est grise.

Faiez travaille en ville. Je ne sais pas ce qu'il fait, mais j'imagine qu'il est dans un bureau comme mon oncle. En tout cas il est bien mieux que Hussein, le mari de ma sœur aînée. Hussein est toujours en vêtements d'ouvrier, jamais très propre, et il sent mauvais.

Faiez c'est l'élégance, une belle voiture à quatre places, qui démarre tous les matins.

Alors j'ai commencé à épier sa voiture pour le regarder. Le meilleur observatoire, c'est la terrasse où je secoue les tapis de laine de mouton, où je cueille le raisin, où j'étends du linge. En faisant très attention, je peux toujours trouver quelque chose à faire en haut.

J'ai d'abord repéré qu'il garait toujours sa voiture au même endroit, à quelques pas de la porte. Comme je ne pouvais pas rester trop longtemps sur la terrasse pour deviner à quelle heure il sortait de chez lui, j'ai mis plusieurs jours avant de savoir qu'il s'en allait vers sept heures tous les matins, au moment où il m'était assez facile de trouver quelque chose à faire là-haut.

La première fois que je l'ai vu, j'ai eu de la chance. J'avais fait vite pour nettoyer l'écurie, et je ramenais du foin bien sec pour une brebis malade qui allait accoucher. J'étais à deux ou trois pas avec la paille dans les bras quand il est sorti. Aussi élégant que mon oncle, en costume, avec de belles chaussures noir et beige à lacets, une mallette à la main, des cheveux très noirs, le teint très basané, et fière allure.

J'ai baissé la tête, le nez dans la paille. J'ai écouté le bruit de ses pas jusqu'à la voiture, le bruit de la portière qui claquait, celui du moteur et des pneus sur le gravier. Je n'ai relevé la tête que lorsque la voiture s'est éloignée, et j'ai attendu qu'elle disparaisse, avec le cœur qui battait dans ma poitrine, et mes jambes qui tremblaient. Et je me suis dit : « Je veux cet homme pour mari, je l'aime. Je le veux, je le veux... »

Mais comment faire ? Comment le supplier d'aller lui-même supplier mon père de conclure le mariage ? Comment lui parler, d'abord ? Une fille n'adresse pas la parole à un homme. Elle ne doit même pas le regarder en face. Il est inaccessible et, même si cet homme me veut en mariage, ce n'est pas lui qui décide. C'est mon père, toujours lui, et il me tuerait s'il savait que j'ai traîné une minute sur le chemin avec ma botte de paille pour attirer l'attention de Faiez.

Je n'en espérais pas tant ce jour-là, mais je voulais qu'il me voie, qu'il sache que j'attendais moi aussi. Alors j'ai décidé de tout faire pour le rencontrer en cachette et lui parler. Au risque de me faire tuer à coups de pierre ou de bâton. Je ne voulais plus attendre encore des mois ou des années que Kaïnat quitte la maison, c'était trop injuste. Je ne voulais pas vieillir davantage et devenir la moquerie du village. Je ne voulais pas perdre tout espoir de partir ailleurs avec un homme, de me libérer des brutalités de mon père.

Chaque matin et chaque soir, je serai sur la terrasse, à guetter mon amoureux, jusqu'à ce qu'il lève les yeux sur moi et me fasse un signe. Un sourire. Sinon, j'en suis certaine, il ira demander une autre fille du village ou d'ailleurs. Et, un jour, je verrai une femme à ma place monter dans cette voiture.

Elle me volera Faiez.

Le secret

Je suis consciente de risquer ma vie pour cette histoire d'amour qui commence il y a près de vingt-cinq ans, dans mon village natal en Cisjordanie. Un village minuscule, alors en territoire occupé par les Israéliens, et dont je ne peux toujours pas dire le nom. Car je risque toujours ma vie, même à des milliers de kilomètres de là. Là-bas je suis morte officiellement, mon existence est oubliée depuis longtemps, mais si j'y revenais aujourd'hui on me tuerait une seconde fois pour l'honneur de ma famille. C'est le droit coutumier.

Sur la terrasse de la maison familiale, guettant l'apparition de l'homme que j'aime, je suis une jeune fille en danger de mort. Pourtant, je ne pense qu'à une seule chose : le mariage.

C'est le printemps. Je ne saurais dire quel mois, probablement avril. Dans mon village on ne compte pas de la même façon qu'en Europe. On ne sait jamais exactement l'âge de son père ou de sa mère, on ignore la date de sa naissance. On calcule le temps en fonction du ramadan, de l'époque des moissons, ou de la cueillette des figues. On se guide avec le soleil tout au long d'une journée de travail qui commence et s'achève avec lui.

Je crois avoir dix-sept ans environ, je saurai plus tard que j'en ai dix-neuf sur le papier. Mais j'ignore l'existence de ce papier, comment il a été établi. Il est très possible que ma mère ait confondu la naissance d'une de ses filles avec celle d'une autre au moment où on l'a contrainte de me donner une existence officielle. Je suis mûre depuis l'apparition de mes règles, bonne à marier depuis trois ou quatre périodes de ramadan. Je serai une femme le jour de mon mariage. Ma propre mère est encore jeune et paraît déjà vieille, mon père est âgé parce qu'il n'a plus beaucoup de dents.

Faiez est certainement plus vieux que moi, mais c'est une bonne chose. J'attends de lui la sécurité. Mon frère Assad s'est marié trop jeune avec une fille de son âge, et si par malheur elle ne lui donne pas de fils, un jour il aura besoin d'une autre femme.

J'entends les pas de Faiez sur le gravier du chemin. Je secoue mon tapis de laine sur le bord de la terrasse, il lève les yeux. Il m'observe et je sais qu'il a compris. Aucun signe, pas un mot surtout, il monte en voiture et s'en va. Mon premier rendez-vous a duré le temps de croquer une olive, une émotion inoubliable.

Le lendemain matin, plus aventureuse, je fais semblant de rattraper une chèvre pour passer devant sa maison. Faiez me sourit, et comme la voiture ne démarre pas immédiatement, je sais qu'il me regarde prendre la direction du pré avec le bétail. L'air est plus frais le matin, ce qui m'a donné l'occasion de porter ma veste de laine rouge, mon seul vêtement neuf, boutonnée du nombril jusqu'au cou, et qui me fait plus jolie à regarder. Si je pouvais danser au milieu des moutons, je le ferai. Mon deuxième rendez-vous a duré plus longtemps, car en me retournant légèrement à la sortie du village, je vois que la voiture n'a pas encore démarré.

Je ne peux pas aller plus loin dans les signaux. C'est à lui maintenant de décider comment il fera pour me parler en cachette. Il sait où je vais, et à quel moment.

Le jour suivant ma mère n'est pas là, mon père est parti en ville avec elle, mon frère est avec sa femme, et Kaïnat s'occupe de l'écurie et des petites sœurs. Je suis seule pour aller cueillir de l'herbe pour les lapins. Un quart d'heure de marche plus tard, Faiez est là, devant moi. Il m'a suivie discrètement et me salue. Cette présence soudaine m'affole. Je regarde autour de moi, inquiète de voir arriver mon frère, ou une femme du village. Il n'y a personne, mais je repère l'abri d'un talus assez haut au bord du champ, et Faiez me suit. J'ai honte, je regarde mes pieds, je chiffonne ma robe et tire sur les boutons de ma veste, je ne sais pas quoi dire. Il prend une pose avantageuse, une tige de blé vert entre les dents, et m'examine :

« Pourquoi tu ne te maries pas ?

– Il faut que je trouve l'homme de ma vie et que ma sœur se marie.

– Ton père t'a parlé ?

– Il m'a dit que ton père était venu le voir, il y a longtemps.

– Tu vis bien chez toi ?

– Il va me battre s'il me voit avec toi.

– Tu voudrais qu'on se marie ensemble ?

– Mais il faut que ma sœur se marie avant...

– Tu as peur ?

– Oui, j'ai peur. Mon père est mauvais. C'est dangereux pour toi aussi. Mon père peut me frapper et te frapper aussi. »

Il reste assis tranquillement derrière le talus, pendant que je fais vite pour ramasser l'herbe. Il a l'air de m'attendre, pourtant il sait très bien que je ne peux rentrer au village avec lui.

« Toi tu restes ici, moi, je vais rentrer toute seule. »

Et je marche vite pour rentrer à la maison, fière de moi. Je veux qu'il ait une bonne impression, qu'il me considère comme une fille sage. Je dois faire très attention à ma réputation vis-à-vis de lui, car c'est moi qui l'ai attiré.

Je n'ai jamais été aussi heureuse. Être avec lui, d'aussi près, même quelques minutes, c'est merveilleux. Je le ressens dans mon corps tout entier, sans pouvoir le définir clairement à ce moment-là. Je suis bien trop naïve et je n'ai pas reçu plus d'éducation qu'une chèvre, mais cette sensation de merveilleux, c'est celle de la liberté de mon cœur et aussi de mon corps. Pour la première fois de ma vie, je suis quelqu'un parce que j'ai décidé moi-même de faire ce que je fais. Je suis vivante. Je n'obéis ni à mon père ni à personne d'autre. Au contraire, je désobéis.

Ma mémoire de ces instants-là et de ceux qui vont suivre est assez claire. Avant, elle est presque inexistante. Je ne me vois pas, je ne sais pas à quoi je ressemble et si je suis jolie ou non. Je n'ai pas conscience d'être un être humain, de penser, d'avoir des sentiments. Je connais la peur, la soif quand il fait chaud, la souffrance et l'humiliation d'être attachée comme un animal dans l'écurie et battue jusqu'à ne plus sentir mon dos. La terreur d'être étouffée ou jetée au fond d'un puits. J'ai pris docilement tant de coups. Même si mon père ne court plus aussi vite, il trouve toujours le moyen de nous attraper. C'est facile pour lui de me cogner la tête sur le bord de la baignoire parce que j'ai renversé de l'eau. C'est simple de taper sur mes jambes avec sa canne quand le thé arrive trop tard. On ne peut pas réfléchir à soi-même en vivant de cette façon. Mon premier véritable rendez-vous avec Faiez, dans le champ de blé vert, me donne pour la première fois de mon existence l'idée de qui je suis. Une femme, impatiente de le retrouver, qui l'aime et qui est décidée à devenir son épouse à tout prix.

Le lendemain, sur le même chemin, il attend que je passe pour aller aux champs et venir me rejoindre.

« Est-ce que tu regardes d'autres garçons que moi ?

– Non. Jamais.

– Tu veux que je parle à ton père pour le mariage ? »

Je voudrais lui embrasser les pieds pour ça. Je voudrais qu'il y aille maintenant, à cette minute, qu'il coure annoncer à son père que lui, Faiez, ne veut plus attendre, qu'il faut me demander à ma famille, apporter de l'or pour moi et des bijoux, et préparer une grande fête.

« Je te ferai signe pour la prochaine fois, et ne mets pas ta veste rouge pour me rejoindre, on la voit trop, c'est dangereux. »

Les jours passent, le soleil se lève et se couche, et matin et soir je guette un signe de lui sur la terrasse. Je suis certaine maintenant qu'il est amoureux. À notre dernier rendez-vous, il n'est pas venu. J'ai attendu longtemps, plus d'un quart d'heure, au risque d'être en retard à la maison et de me faire prendre par mon père. J'étais inquiète et malheureuse, mais la fois suivante il est venu. Je l'ai vu arriver de loin sur le chemin, il m'a fait signe de me cacher tout au fond du champ, derrière le talus où personne ne peut nous voir car les herbes sont hautes.

« Pourquoi tu n'es pas venu ?

– Je suis venu, mais je me suis caché plus loin, pour voir si tu rencontrais quelqu'un d'autre.

– Je ne regarde personne.

– Les garçons sifflent quand tu passes.

– Mes yeux ne vont ni à droite ni à gauche. Je suis honnête.

– Maintenant je sais. J'ai vu ton père. On se mariera bientôt. »

Il l'avait fait, il était allé voir mon père après le deuxième rendez-vous. Et même si la date n'était pas fixée, l'année ne finirait pas sans que je sois mariée.

Il fait beau et chaud ce jour-là, les figues ne sont pas encore mûres, mais je suis sûre que je n'attendrai pas le début de l'été et les moissons avant que ma mère prépare la cire chaude pour m'épiler. Faiez s'approche de moi, très près. Je ferme les yeux, j'ai un peu peur. Je sens sa main derrière mon cou et il m'embrasse sur la bouche. Je le repousse aussitôt, sans rien dire, mais mon geste veut dire : « Attention. Ne va pas plus loin. »

« À demain. Attends-moi, mais pas sur le chemin, c'est trop dangereux. Cache-toi ici, dans le fossé. Je te rejoindrai après le travail. »

Il s'en va le premier. J'attends qu'il soit suffisamment loin pour rentrer comme d'habitude, mais plus nerveusement cette fois. Ce baiser, le premier de ma vie, m'a bouleversée. Et le lendemain, en le regardant s'approcher de ma cachette, je tremble du cœur. Personne à la maison ne se doute de mes rendez-vous secrets. Le matin, ma sœur m'accompagne parfois pour mener les moutons et les chèvres, mais la plupart du temps elle repart s'occuper de l'écurie et de la maison, et l'après-midi je reste seule. L'herbe est haute au printemps, les moutons doivent en profiter, c'est à eux surtout que je dois cette facilité pour me déplacer seule. C'est une fausse liberté que la famille m'accorde, car mon père surveille toujours de près le moment de mon départ et celui de mon retour. Le village, les voisins sont là pour me rappeler que je n'ai droit à aucun écart. Je communique par signes invisibles avec Faiez, depuis la terrasse. Un mouvement de tête et je sais qu'il viendra. Mais s'il monte dans sa voiture très vite sans un regard en l'air, il ne viendra pas. Ce jour-là je sais qu'il viendra, il me l'a confirmé. Et j'ai le sentiment très fort qu'il va se passer quelque chose.

J'ai peur que Faiez veuille plus qu'un baiser, et en même temps j'en ai envie sans vraiment savoir ce qui m'attend. Je crains de le repousser s'il va trop loin, et qu'il se fâche. Je lui fais confiance aussi car il sait bien que je n'ai pas le droit de me laisser toucher avant le mariage. Il sait bien que je ne suis pas une charmuta. Et il a promis le mariage. Mais j'ai peur quand même, toute seule dans ce pré avec le troupeau. Cachée dans les herbes hautes, je surveille en même temps les bêtes et le chemin. Je ne vois personne. Le pré est magnifique, il y a des fleurs. Les moutons sont tranquilles à cette saison, ils passent leur temps à manger sans chercher à se sauver comme en plein été, quand l'herbe est plus rare.

Je l'attendais à ma droite, Faiez arrive de l'autre côté, par surprise. C'est bien, il fait attention pour ne pas se faire voir, il me protège. Il est si beau. Il porte un pantalon serré de la taille aux genoux, et large jusqu'aux pieds. C'est la mode pour les hommes qui s'habillent de façon moderne, à l'occidentale. Il a un pull-over blanc à manches longues, décolleté en pointe, qui laisse voir les poils de sa poitrine. Je le trouve élégant, tellement chic à côté de moi. J'ai obéi, je n'ai pas mis ma veste rouge, pour qu'on ne me voie pas de loin. Ma robe est grise, mon saroual aussi. J'ai fait attention de bien laver mes vêtements, car avec le travail ils sont souvent sales. J'ai caché mes cheveux sous un foulard blanc, mais je regrette mon beau gilet rouge, j'aurais voulu être plus jolie.

On s'assied par terre, il m'embrasse. Il pose sa main sur ma cuisse, et je ne le laisse pas faire. Il se fâche. Il est méchant en me regardant dans les yeux :

« Pourquoi tu ne veux pas ? Laisse-toi faire ! »

J'ai tellement peur qu'il s'en aille, qu'il cherche quelqu'un d'autre... Il peut le faire quand il veut, c'est un bel homme, mon futur mari. Je l'aime, je ne voudrais pas céder, j'ai trop peur, mais bien plus peur encore de le perdre. Il est mon seul espoir. Alors je le laisse faire sans savoir ce qui va m'arriver, et jusqu'où il ira. Il est là, devant mes yeux, il veut me toucher, rien d'autre ne compte. Le soleil ne va pas tarder à descendre, il fait moins chaud, il ne me reste plus beaucoup de temps avant de rentrer le troupeau. Il me pousse dans l'herbe, et il fait ce qu'il veut. Je ne dis plus rien, je n'ai aucun geste pour le repousser. Il n'est pas violent, il ne me force pas, il sait très bien ce qu'il fait. La douleur me prend par surprise. Je ne m'y attendais pas, mais ce n'est pas à cause d'elle que je pleure. Il ne dit rien ni avant ni après, il ne me demande pas pourquoi je pleure, et je ne sais même pas pourquoi j'ai tant de larmes. Je ne saurais pas quoi lui dire s'il le demandait. Je ne voulais pas. Je suis vierge, je ne connais rien à l'amour entre un homme et une femme, personne ne m'a renseignée. La femme doit saigner, avec son mari, c'est tout ce que j'ai appris depuis mon enfance. Lui fait ce qu'il veut en silence, jusqu'à ce que je saigne, et voilà qu'il a l'air étonné, comme s'il ne s'y attendait pas. Est-ce qu'il croyait que j'avais déjà fait ça avec d'autres hommes ? Parce que je menais seule les moutons ? Il a dit lui-même qu'il m'avait surveillée, et que j'étais une fille sérieuse. Je n'ose pas le regarder en face, j'ai honte. Il me relève le menton, et il dit :

« Je t'aime.

– Je t'aime aussi. »

Je n'ai pas compris sur le moment qu'il était fier de lui. Ce n'est que beaucoup plus tard que je lui en ai voulu d'avoir douté de mon honneur, d'avoir profité de moi alors qu'il savait si bien ce que je risquais. Je ne voulais pas faire l'amour avec lui cachée dans un fossé, je voulais ce que veulent toutes les filles de mon village. Me marier, être épilée comme il faut, avoir une belle robe et aller dormir dans sa maison. Je voulais qu'au lever du soleil il montre à tous les gens le linge blanc taché. Je voulais entendre les youyous des femmes. Il a profité de ma peur, il savait que je céderais pour le garder.

J'ai couru me cacher, un peu plus loin, pour essuyer le sang sur mes jambes et me rhabiller convenablement, pendant qu'il remettait tranquillement ses vêtements en ordre. Après, je l'ai supplié de ne pas me laisser tomber, de faire le mariage très vite. Une fille qui n'est plus vierge, c'est trop grave, tout est fini pour elle.

« Jamais je ne te laisserai tomber.

– Je t'aime.

– Moi aussi, je t'aime. Maintenant, tu rentres, tu changes de vêtements, et tu fais comme si de rien n'était. Surtout, ne pleure pas à la maison. »

Il est parti avant moi. Je ne pleurais plus, mais j'étais un peu malade. C'était dégoûtant ce sang. Faire l'amour avec un homme, ce n'était pas une fête. J'avais eu mal, je me sentais sale, je n'avais pas eu d'eau pour me laver, rien que de l'herbe pour m'essuyer, je sentais encore la brûlure dans mon ventre, et il fallait que je rassemble les moutons pour rentrer, avec mon pantalon sale. Que je fasse la lessive en cachette. En marchant vite sur le chemin, je pensais que je ne saignerais plus, mais je me demandais si j'aurais toujours mal avec mon mari. Est-ce que ce serait toujours dégoûtant comme ça ?

En arrivant à la maison, mon visage est-il normal ? Je ne pleure pas, mais je souffre à l'intérieur, et j'ai peur. Je réalise ce que j'ai fait. Je ne suis plus une fille. Je ne suis plus en sécurité tant que je ne serai pas mariée. Le soir du mariage, je ne serai pas vierge. Mais ce n'est pas important, puisqu'il sait que j'étais vierge avec lui. Je me débrouillerai, je me couperai avec un couteau, je mettrai mon sang sur le linge du mariage. Je serai comme toutes les autres femmes.

J'attends trois jours. Je guette sur la terrasse que Faiez me fasse un signe de rendez-vous. Cette fois, il m'entraîne sous un petit abri de pierres, à l'autre bout du champ. D'habitude on s'y protège de la pluie. Cette fois je ne saigne pas. J'ai encore mal mais beaucoup moins peur. Il est revenu, c'est tout ce qui compte pour moi. Il est là, et je l'aime encore plus. Ce qu'il fait avec mon corps n'est pas important, c'est dans ma tête que je l'aime. Il est toute ma vie, tout mon espoir de quitter la maison de mes parents, d'être une femme qui marche avec un homme dans la rue, qui monte à côté de lui en voiture, pour aller dans les magasins acheter des robes, et des chaussures, et faire le marché.

Je suis contente d'être avec lui, de lui appartenir... C'est un homme, un vrai. J'ai bien vu que ce n'était pas la première fois pour lui, il sait comment faire. J'ai confiance pour le mariage, il ne sait pas quand et moi non plus, mais je ne pose pas de question. Dans ma tête, c'est sûr.

En attendant, il faut faire très attention pour que personne ne me dénonce. Pour le prochain rendez-vous je changerai de chemin. Je calcule le temps qu'il me faudra en plus, et entre-temps je n'ose pas sortir seule de la maison par la porte de fer. J'attends d'être avec ma mère ou ma sœur. Je guette toujours le départ de Faiez le matin. Dès que j'entends le bruit de ses pas sur le gravier, je me rapproche vite du muret de ciment. Si quelqu'un d'autre est dehors, je tourne le dos ; s'il n'y a personne, j'attends le signal. Deux rendez-vous déjà depuis que je ne suis plus vierge. Nous ne pouvons pas nous voir tous les jours, ce serait imprudent. Le signal du troisième rendez-vous n'arrive qu'au bout de six jours. J'ai toujours peur, et toujours confiance. Je surveille le moindre bruit dans la campagne. J'évite de rester au bord du champ. J'attends, assise dans l'herbe du fossé, avec mon bâton, je regarde les abeilles se promener sur les fleurs sauvages, je rêve au jour proche où je ne garderai plus les moutons et les chèvres, où je ne sortirai plus le fumier de l'écurie. Il va venir, il m'aime, et quand il repartira je lui dirai, comme la première et la deuxième fois : « Ne m'abandonne pas. »

Nous faisons l'amour pour la troisième fois. Le soleil est jaune, je dois rentrer traire les brebis et les vaches. Je dis :

« Je t'aime, ne m'abandonne pas. Tu reviens quand ?

– On ne peut pas se voir tout de suite. On attend un peu. Il faut faire attention.

– Jusqu'à quand ?

– Jusqu'à ce que je te fasse signe. »

À ce moment-là, mon histoire d'amour a duré une quinzaine de jours, le temps de trois rendez-vous dans le champ des moutons. Faiez a raison d'être prudent, et moi je dois être patiente, attendre que mes parents me parlent, comme ils ont parlé à ma sœur Noura. Mon père ne peut plus attendre de marier Kaïnat avant moi ! Puisque Faiez m'a demandée, et qu'elle est toujours vieille fille à vingt ans, il peut se débarrasser de moi, il a encore deux filles ! Khadija et Salima, les petites, vont travailler à leur tour avec ma mère et s'occuper du troupeau et des récoltes. Fatma, la femme de mon frère, est enceinte à nouveau, elle doit bientôt accoucher. Elle aussi peut travailler. J'attends mon sort avec un peu de crainte toujours, puisqu'il ne dépend pas de moi. Mais j'attends trop longtemps. Les jours passent et Faiez ne me fait pas signe. J'espère quand même, chaque soir, le voir apparaître comme il sait le faire, venant de nulle part, à gauche ou à droite du fossé où je me cache.

Un matin, je me sens bizarre dans l'écurie. L'odeur du fumier me tourne la tête. En préparant le repas, c'est la viande de mouton qui m'écœure. Je suis nerveuse, j'ai envie de pleurer ou de dormir sans raison. Chaque fois que Faiez sort de chez lui, il regarde ailleurs, ne me fait pas de signe. Le temps est long, bien trop long, et je ne sais pas quand j'ai eu mes règles, ni quand elles doivent être là. J'ai souvent entendu ma mère demander à ma sœur Noura :

« Tu as tes règles ?

– Oui, maman.

– Alors, c'est pas pour maintenant.

Ou encore : « Tu n'as pas eu tes règles ? C'est bien, c'est que tu es enceinte ! »

Et je ne les vois pas venir, les miennes. Je vérifie plusieurs fois par jour. Chaque fois que je vais aux toilettes, à l'abri, je regarde s'il y a du sang. Parfois je me sens tellement bizarre que l'espoir revient. Mais ce n'est toujours pas ça. Et j'ai tellement peur que cette peur me serre la gorge comme si j'allais vomir. Je ne me sens pas comme avant, je n'ai pas envie de travailler, de me lever. Ma nature a changé.

J'essaie de trouver une raison qui ne soit pas la pire. Je me demande si le choc de ne plus être vierge change une fille de cette façon. Peut-être que les règles ne reviennent pas tout de suite ? Je ne peux pas me renseigner sur cette explication naïve. La moindre question sur ce sujet ferait tomber sur moi les foudres de Dieu.

J'y pense constamment, à chaque instant du jour et surtout le soir, quand je m'endors auprès de mes sœurs. Si je suis enceinte, mon père va m'étouffer sous la couverture de mouton. Le matin en me levant je suis contente d'être vivante.

J'ai peur que quelqu'un de la famille s'aperçoive que je ne suis pas normale. J'ai envie de vomir devant le plat de riz sucré, envie de dormir dans l'écurie. Je me sens fatiguée, mes joues sont pâles, ma mère va forcément s'en apercevoir et me demander si je suis malade. Je n'ai jamais été malade. Alors je me cache, je fais semblant d'être bien, mais c'est de plus en plus difficile. Et Faiez ne se montre pas. Il monte dans sa voiture avec son beau costume, sa mallette et ses belles chaussures, et il démarre si vite que le sable fait des tourbillons derrière lui. L'été commence. Il fait très chaud dès le matin. Je dois conduire les bêtes à l'aube et les ramener avant que le soleil soit trop fort. Je ne peux plus guetter sur la terrasse, alors qu'il faut absolument que je lui parle du mariage. Car une tache bizarre s'est mise sur mon nez. Une petite tache brune, que j'essaie de cacher parce que je sais ce qu'elle veut dire. Noura a eu la même quand elle était enceinte. Ma mère m'a regardée d'un air étonné :

« Qu'est-ce que tu as fait ?

– C'est du henné, je me suis frottée avec les doigts, j'ai pas fait attention. »

J'ai vraiment mis du henné en faisant exprès de barbouiller mon nez. Mais ce mensonge ne pourra durer longtemps. Je suis enceinte, et je n'ai pas revu Faiez depuis plus d'un mois.

Il faut absolument que je lui en parle. Un soir, alors que le soleil n'est pas encore tombé, je fais chauffer de l'eau dans le jardin comme pour une lessive et je monte sur la terrasse avec mon linge, à peu près à l'heure où je sais qu'il va rentrer. Cette fois, je lui adresse un signe de la tête et j'insiste en faisant des gestes, pour lui faire comprendre : « Je veux te voir, je vais là-bas, il faut que tu me suives... »

Il m'a vue et je me sauve au lieu d'aller surveiller une brebis malade à l'écurie, comme je l'ai fait croire. La brebis est vraiment malade, on attend qu'elle accouche, et ce n'est pas la première fois que je reste près d'elle. J'ai même dormi sur la paille une nuit entière, de peur de ne pas l'entendre.

Il arrive à notre coin de rendez-vous peu de temps après moi, et il cherche aussitôt à me faire l'amour, persuadé que je l'ai appelé pour ça. Je recule :

« Non, c'est pas pour ça que je voulais te voir.

– Mais pourquoi alors ?

– Je veux te parler.

– On parlera après... Viens !

– Tu ne m'aimes pas, on ne peut pas se voir juste pour discuter ?

– Si je t'aime, je t'aime tellement que chaque fois que je te vois, j'ai envie de toi.

– Faiez, la première fois je ne voulais rien, après tu m'as embrassée, et j'ai accepté trois fois, aujourd'hui je n'ai pas eu mes règles.

– Peut-être qu'elles ont du retard ?

– Non, je n'ai jamais de retard et je me sens bizarre. »

Il n'a plus envie. Je le vois à son visage : il est devenu blanc.

« Qu'est-ce qu'on va faire ?

– Il faut qu'on se marie vite, maintenant ! On ne peut pas attendre, il faut aller voir mon père, même s'il n'y a pas de fête, ça m'est égal !

– Les gens vont parler au village, ça ne se fait pas !

– Comment on va faire pour le drap à mettre sur le balcon ?

– Ça, ne t'inquiète pas, je le ferai, je m'en occupe. Mais on ne peut pas faire un petit mariage, on avait dit un grand mariage, on fera un grand mariage. Je vais parler à ton père. Attends-moi ici demain, à la même heure.

– Mais ce n'est pas toujours possible pour moi. Toi tu es un homme, tu fais ce que tu veux... Attends que je te fasse signe. Si je peux, tu me verras tresser mes cheveux. Si je n'enlève pas mon foulard, tu ne viens pas. »

Le lendemain, je prends un risque en disant que je vais chercher de l'herbe pour la brebis malade. Je fais le signal, et je cours au rendez-vous, en tremblant. Mon père n'a rien dit, je n'ai rien entendu. J'ai si peur que je n'ai plus de souffle. Il arrive une bonne demi-heure après moi. Par prudence, je l'attaque :

« Pourquoi tu n'es pas venu voir papa ?

– Je n'ose pas le regarder en face, ton père. J'ai peur.

– Mais il faut que tu te dépêches, ça fait presque deux mois maintenant. Mon ventre va grossir après, qu'est-ce que je vais faire ? »

Et je commence à pleurer. Alors il me dit :

« Arrête, ne pleure pas en rentrant chez toi. Demain, je vais voir ton père. »

Je l'ai cru, tellement je voulais le croire. Parce que je l'aimais, et j'avais aussi de bonnes raisons d'espérer puisqu'il m'avait déjà demandée à mon père. Je comprenais qu'il ait peur de le regarder en face. Ce n'était pas simple d'expliquer pourquoi il voulait faire un mariage si vite. Quelle raison pouvait-il trouver face à la méfiance et à la méchanceté de mon père, sans dire le secret et m'enlever mon honneur comme le sien devant la famille ?

J'ai fait ma prière à Dieu ce soir-là, comme d'habitude. Mes parents étaient très religieux, ma mère allait assez souvent à la mosquée. Les filles devaient faire leur prière deux fois par jour à l'intérieur de la maison. Le lendemain j'ai remercié Allah d'être encore vivante à mon réveil.

La voiture était déjà partie quand je suis allée sur la terrasse. Alors j'ai travaillé comme d'habitude, j'ai soigné la brebis, nettoyé l'écurie, j'ai emmené le troupeau, cueilli les tomates.

J'ai attendu le soir. J'avais tellement peur que j'ai ramassé une grosse pierre, et j'ai frappé sur mon ventre, avec l'espoir que le sang allait remettre les choses en ordre.

Dernier rendez-vous

Le soir est venu. J'attends désespérément de voir arriver Faiez, seul ou avec ses parents, mais je sais bien qu'il ne viendra pas. Il est trop tard pour aujourd'hui. Et la voiture n'est pas devant chez lui, les volets sont restés fermés.

C'est la catastrophe pour moi. Je passe la nuit sans dormir, en essayant d'imaginer qu'il est allé voir sa famille ailleurs, que si les volets sont restés fermés c'est à cause de la chaleur.

C'est extraordinaire comme ma mémoire a gardé imprimées ces quelques semaines de ma vie. Moi qui ai tant de mal à reconstituer mon enfance autrement qu'en images cruelles, sans le moindre moment de bonheur ou de paix, je n'ai jamais oublié ces instants de liberté volée, de crainte et d'espoir. Cette nuit-là, je me revois parfaitement sous ma couverture de mouton, les genoux sous le menton, tenant mon ventre avec mes deux mains, écoutant le moindre bruit dans le noir. Demain il sera là, demain il ne sera pas là... Il va me sauver, il va m'abandonner... C'était comme une musique qui ne s'arrêtait pas dans ma tête.

Le lendemain matin, je vois la voiture devant sa maison. Je me dis : « Il est vivant ! » Il y a un espoir. Je n'ai pas pu aller guetter son départ, mais le soir, à son retour, je suis sur la terrasse. Je fais le signe convenu pour un rendez-vous le lendemain avant le coucher du soleil.

Et à la fin de l'après-midi, juste avant le coucher du soleil, je vais chercher du foin pour les moutons. J'attends dix minutes, un quart d'heure, en espérant qu'il est peut-être caché plus loin. La moisson est faite, mais à certains endroits du champ je peux ramasser de bonnes gerbes, que je lie avec de la paille. Je les aligne près du chemin et je les noue d'avance. Je travaille vite, mais je prends soin de laisser trois gerbes à lier, pour me donner une contenance si quelqu'un passe par là, car à cet endroit je suis très en vue. Je n'aurai qu'à me pencher sur mes gerbes et avoir l'air très occupée à mon travail, déjà terminé. Ça me donne un quart d'heure de répit avant de regagner la maison. J'ai dit à ma mère que je ramènerai le foin dans une demi-heure. À cette heure-là les moutons sont déjà rentrés, les chèvres et les vaches aussi, et il me reste à traire, à faire les fromages pour le lendemain. J'ai usé de tous les prétextes pour ces rendez-vous. Je suis allée au puits chercher de l'eau pour les bêtes, ce qui suppose plusieurs petits voyages avec un grand seau en équilibre sur ma tête. Les lapins ont eu besoin d'herbe tendre, les poules des grains que j'allais glaner... Je voulais savoir si les figues commençaient à mûrir, j'avais besoin de citron pour la cuisine, ou de rallumer la braise dans le four à pain.

Il faut se méfier sans cesse des parents qui se méfient de leur fille. Une fille peut faire beaucoup de choses... Elle va dans la cour ? Que va-t-elle faire dans la cour ? Elle n'a pas donné rendez-vous derrière le fourneau à pain par hasard ? Elle va au puits ? Est-ce qu'elle a pris le seau avec elle ? Est-ce que les bêtes n'ont pas déjà eu à boire ? Elle va chercher du foin ? Combien de gerbes va-t-elle rapporter ?

Ce soir-là je traîne mon sac de toile, de gerbe en gerbe. Je le remplis en vitesse et j'attends, j'attends. Je sais que mon père est assis comme d'habitude sous la lampe devant la maison et qu'il attend avec sa ceinture, en fumant sa pipe comme un pacha, que la fille rentre à l'heure où elle doit rentrer. Il compte les minutes. Lui, il a une montre, et si j'ai dit une demi-heure, c'est une demi-heure moins une minute si je ne veux pas prendre un coup de ceinture.

Il ne me reste que mes trois gerbes à lier. Le ciel prend une couleur grise, le jaune du soleil pâlit. Je n'ai pas de montre, mais il ne me reste que quelques minutes avant la nuit qui vient si vite dans mon pays. On dirait que le soleil est si fatigué de nous éclairer qu'il tombe comme une pierre en nous laissant brutalement dans le noir.

J'ai perdu l'espoir. C'est fini. Il m'a laissé tomber. J'arrive à la maison. Sa voiture n'est pas là. Je me lève le lendemain matin, sa voiture n'est toujours pas là.

C'est vraiment la fin. Il n'y a plus d'espoir de vivre, et j'ai compris. Il a profité de moi, c'était un bon moment pour lui. Pas pour moi.

Je m'en mords les doigts, mais c'est trop tard. Je ne le reverrai plus jamais. Au bout d'une semaine, je ne cherche même plus à le guetter sur la terrasse. Les volets de la maison rose sont fermés, il a fui en voiture comme un lâche. Je ne peux demander d'aide à personne.

À trois ou quatre mois, mon ventre commence à grossir. Je le cache encore assez bien sous ma robe, mais dès que je porte un seau ou une charge quelconque sur la tête, le dos cambré et les bras levés, je dois faire un effort considérable pour le rendre invisible. Cette tache sur mon nez, j'essaie de frotter pour l'effacer, mais elle ne part pas. Je ne peux pas recommencer avec le henné, ma mère ne me croirait pas.

C'est la nuit que l'angoisse est la plus forte. Je vais souvent dormir avec les moutons. Le prétexte est tout trouvé : lorsqu'une brebis va accoucher, elle appelle comme un être humain et, si on ne l'entend pas, il arrive que le petit étouffe dans le ventre de sa mère.

Je repense parfois à cette bête, dont le bébé sortait mal. J'ai dû mettre mon bras jusqu'au fond de son ventre, tout doucement, pour retourner la tête de l'agneau dans une bonne position et le tirer vers moi. J'avais très peur de lui faire du mal, et j'ai bataillé longtemps pour récupérer vivant ce petit agneau. La mère n'arrivait pas à pousser, la pauvre, et j'ai dû beaucoup l'aider. Et une heure plus tard environ, elle est morte.

L'agneau était une petite femelle. Elle me suivait comme un enfant. Dès qu'elle me voyait partir, elle m'appelait. Je trayais d'abord les autres brebis et je lui donnais à boire au biberon. Je devais avoir une quinzaine d'années alors. J'ai accouché beaucoup de brebis, mais ce souvenir est le seul que j'aie gardé. La petite me suivait dans le jardin, elle montait les escaliers de la maison. Partout où j'allais, elle était derrière moi. La mère était morte, et l'agneau vivant...

C'est étrange de penser qu'on se donnait tellement de mal pour accoucher des brebis alors que ma mère étouffait ses enfants. À l'époque je n'y pensais absolument pas. C'était une coutume qu'il fallait admettre. En faisant défiler ces images dans ma mémoire, aujourd'hui, je suis révoltée. Si j'avais été consciente comme je le suis actuellement, j'aurais plutôt étranglé ma mère pour sauver même une seule de ces petites filles.

Pour une femme soumise à ce point, tuer les filles, c'est normal. Pour un père comme le mien, raser les cheveux de sa fille avec des ciseaux à laine pour les moutons, c'est normal. Les frapper avec la ceinture ou la canne, c'est normal, les attacher dans l'écurie toute la nuit au milieu des vaches, c'est normal. Que pouvait me faire mon père en apprenant que j'étais enceinte ? Ma sœur Kaïnat et moi nous pensions qu'être attachées dans l'écurie, c'était le pire qui pouvait nous arriver. Les mains nouées derrière le dos, le foulard sur la bouche pour ne pas qu'on crie et les pieds liés avec la corde qui avait servi à nous battre. Muettes, éveillées toute la nuit, on se regardait simplement, en pensant la même chose : « Tant qu'on est attachées, on est vivantes. »

Justement, c'est mon père qui vient vers moi, un jour de lessive. Je l'entends boiter dans mon dos, et sa canne frapper le sol de la cour. Il s'arrête derrière moi, je n'ose pas me relever :

« Je suis sûr que tu es enceinte. »

Je lâche le linge dans la bassine, je n'ai pas la force de lever les yeux sur lui. Je ne pourrai pas prendre l'air étonné ou humilié, je n'arriverai pas à mentir si je le regarde.

« Mais non, papa.

– Mais si ! Regarde-toi ! Tu as grossi ! Et cette tache, là, tu dis que c'est le soleil, après tu dis que c'est le henné ? Ta mère doit voir tes seins. »

C'est donc ma mère qui s'est doutée. Et c'est lui qui vient donner l'ordre.

« Il faut les montrer. »

Et mon père s'en va avec sa canne sans ajouter un mot.

Il n'a pas cogné. Je n'ai pas protesté, ma bouche est paralysée. Je pense que cette fois ça y est, je suis morte. C'est au tour de ma mère. Elle fait le tour de ma bassine, les mains sur les hanches. Elle est calme mais rude.

« Maintenant, tu arrêtes de faire la lessive ! Montre-moi tes seins !

– Non, je t'en prie, maman, ça me gêne.

– Tu me les montres ou je déchire ta robe ? »

Alors je défais les boutons de mon col jusqu'à hauteur de poitrine, j'écarte le tissu.

« Tu es enceinte ?

– Mais non !

– Tu as eu tes règles ?

– Oui !

– La prochaine fois que tu as tes règles, tu me les montres ! »

J'ai dit oui, pour être tranquille, pour la calmer et pour ma sécurité. Je sais qu'il va falloir que je me coupe, que je mette du sang sur un papier et que je le lui montre à la prochaine lune.

J'abandonne ma lessive, je quitte la maison en passant par le jardin sans permission et je vais me cacher dans les branches d'un vieux citronnier. C'est bête de me mettre à l'abri de cette façon, ce n'est pas le citronnier qui va me sauver, mais j'ai tellement peur que je ne sais plus ce que je fais. Mon père m'a cherchée très vite, et il me retrouve là, grimpée comme une chèvre au milieu des feuilles. Il n'a qu'à me tirer par les jambes pour me faire tomber.

Un de mes genoux saigne, et il me ramène à la maison. Il prend des feuilles de sauge pour les mâcher et applique cette bouillie sur la plaie pour arrêter le sang. C'est bizarre. Je ne comprends pas pourquoi, après m'avoir fait tomber si brutalement, il prend la peine de me soigner, ce qu'il n'a jamais fait. À ce moment-là, je me dis que finalement il n'est pas méchant. Il a cru ce que je lui ai répondu. Avec le recul du temps, je me demande si ce n'était pas tout simplement pour éviter que ce sang ne me serve à faire croire que j'avais eu mes règles...

J'ai eu mal au ventre en tombant, et j'espère que la chute va les faire venir.

Un peu plus tard, il y a un conseil de famille auquel je ne suis pas autorisée à assister. Mes parents ont fait venir Noura et Hussein. J'écoute derrière le mur. Ils parlent tous ensemble, et j'entends mon père dire : « Je suis sûr qu'elle est enceinte, elle ne veut pas nous le dire, on attend qu'elle nous montre ses règles... »

Dès qu'ils ont fini de parler, je monte à l'étage pour faire semblant de dormir.

Le lendemain, mes parents vont à la ville. J'ai l'interdiction de sortir. La porte de la cour est fermée, mais je passe par les jardins et je file me cacher dans la campagne. Avec un gros caillou je commence à taper régulièrement sur mon ventre, à travers la robe, pour que le sang vienne. Personne ne m'a jamais appris comment grandissent les bébés dans le ventre de leur mère. Je sais qu'à un moment le bébé bouge. J'ai vu ma mère enceinte, je sais combien de temps il faut pour que l'enfant vienne au monde, mais j'ignore tout le reste. À partir de quand un enfant est-il vivant ? Pour moi c'est à la naissance, puisque c'est à ce moment-là que j'ai vu ma mère choisir de leur laisser ou non la vie. Ce que j'espère ardemment, alors que je suis enceinte d'environ trois mois et demi ou quatre mois, c'est que le sang revienne. Je ne pense qu'à ça. Je n'imagine même pas que cet enfant dans mon ventre est déjà un être humain.

Et je pleure de rage, de peur, parce que le sang ne vient pas. Parce que mes parents vont revenir, et que je dois être à la maison avant eux.

Ce souvenir est à présent si douloureux... je me sens tellement coupable. J'ai beau me dire que j'étais ignorante, terrorisée par ce qui m'attendait, c'est un cauchemar de penser que j'ai martelé ainsi mon ventre pour que cet enfant n'existe pas.

Et le lendemain, c'est la même chose, je tape sur mon ventre avec tout ce que je trouve, et chaque fois que je le peux. Ma mère attend. Elle m'a donné un mois à partir du jour où elle m'a obligée à lui montrer mes seins. Je sais qu'elle compte dans sa tête, et en attendant je ne peux plus sortir. Je dois rester confinée dans la maison et me contenter des travaux ménagers. Ma mère m'a dit : « Tu ne passes plus la porte ! Tu ne vas plus garder les moutons, tu ne vas plus chercher le foin. »

Je peux me sauver par les cours et les jardins, mais pour aller où ? Je n'ai jamais pris le car seule, je n'ai pas d'argent, et de toute façon le chauffeur ne me laissera pas monter.

Je dois être dans le cinquième mois. J'ai senti bouger dans mon ventre et, debout, je me jette sur l'angle d'un mur, comme une folle. Je ne peux plus mentir ni cacher mon ventre et mes seins, je n'ai plus d'issue.

La seule idée qui me vient, la seule possible, est de m'enfuir de la maison pour aller me réfugier chez la sœur de ma mère. Elle habite dans le village. Je connais sa maison. Alors un matin, pendant que mes parents sont partis au marché, je traverse le jardin, je passe devant le puits, je saute par-dessus le talus et je file jusque chez elle. Je n'ai pas beaucoup d'espoir, car elle est méchante, jalouse de ma mère pour des raisons que j'ignore. Mais justement, peut-être qu'elle me gardera chez elle et trouvera une solution. En me voyant arriver seule, elle s'inquiète d'abord de mes parents. Pourquoi ne sont-ils pas avec moi ?

« Il faut que tu m'aides, ma tante. »

Et je lui raconte tout, le mariage prévu et retardé, le champ de blé.

« Qui c'est ?

– Il s'appelle Faiez, mais il n'est plus au village, il avait promis...

– D'accord. Je vais t'aider. »

Elle s'habille, met son foulard et me prend par la main :

« Viens, on va aller faire un tour ensemble.

– Mais où ? Qu'est-ce que tu vas faire ?

– Viens, donne-moi la main, il ne faut pas qu'on te voie marcher seule. »

J'imagine qu'elle m'emmène chez une autre femme, une voisine qui a des secrets pour faire revenir le sang des règles, ou empêcher que l'enfant continue à grandir dans mon ventre. Ou alors qu'elle va me cacher quelque part, jusqu'à ce que je sois libérée.

Mais elle me ramène à la maison. Elle me tire comme un âne qui ne veut pas avancer.

« Pourquoi tu me ramènes à la maison ? Aide-moi, je t'en supplie !

– Parce que c'est là ta place, c'est eux qui vont s'occuper de toi, pas moi.

– Je t'en supplie, reste avec moi ! Tu sais ce qui va m'arriver !

– C'est ici ta place ! Tu m'as comprise ? Et ne sors plus jamais de chez toi ! »

Elle m'oblige à passer la porte, appelle mes parents, fait demi-tour et s'en va sans se retourner. J'ai vu la méchanceté, le mépris sur son visage. Elle devait penser : « Ma sœur a un serpent dans sa maison, cette fille a déshonoré la famille. »

Mon père referme la porte et ma mère me jette un regard mauvais, avec un signe du menton et un mouvement de la main qui veut dire : « Charmuta... salope... tu as osé aller chez ma sœur ! » Elles se détestent toutes les deux. Qu'un malheur arrive à l'une et l'autre s'en réjouit.

« Oui, j'étais chez elle, je croyais qu'elle pouvait m'aider, me cacher...

– Rentre ! Monte dans la chambre ! »

Je tremble de tout mon corps, mes jambes ne me tiennent plus. Je ne sais pas ce qui m'attend une fois enfermée dans la chambre. Je n'arrive pas à faire un pas.

« Souad ! Tu rentres ! »

Ma sœur ne m'adresse plus la parole. Elle a aussi honte que moi, et ne sort plus de la maison, elle non plus. Ma mère travaille comme d'habitude, mes autres sœurs s'occupent des bêtes, et on me laisse enfermée, comme une pestiférée. Je les entends parler entre eux par moments. Ils craignent que quelqu'un m'ait vue dans le village, que les gens parlent. En essayant de sauver ma peau et de me réfugier chez ma tante, j'ai fait honte plus particulièrement à ma mère. Les voisins vont savoir, les bouches vont parler, les oreilles vont écouter.

Depuis ce jour-là, je ne mets plus le nez dehors. Sur la porte de ma chambre, mon père a installé une nouvelle serrure qui claque comme un coup de fusil, chaque soir. La porte du jardin fait le même bruit.

En lavant la cour, parfois, je regarde cette porte avec le sentiment d'étouffer dans ma poitrine. Jamais je ne sortirai de là. Je ne me rends même pas compte que cette porte est stupide, puisque le jardin et le talus de pierres qui le protège ne sont pas des obstacles infranchissables. Je suis passée par là plus d'une fois. Mais la prison est sûre pour n'importe quelle fille dans mon cas. Dehors ce serait pire. Dehors c'est la honte, le mépris, les jets de pierres, les voisines qui me cracheraient au visage, ou me tireraient par les cheveux pour me ramener chez moi. Dehors je n'y songe pas. Et les semaines passent. Personne ne m'interroge, personne ne veut savoir qui m'a fait ça, comment et pourquoi. Même si j'accuse Faiez, mon père n'ira pas le chercher pour me marier. C'est ma faute, pas la sienne. Un homme qui a pris la virginité d'une femme n'est pas coupable, c'est elle qui a bien voulu. Pire, c'est elle qui a demandé ! Qui a provoqué l'homme parce qu'elle est une putain sans honneur. Je n'ai rien pour me défendre. Ma naïveté, mon amour pour lui, sa promesse de mariage, même sa première demande à mon père, rien de tout ça ne compte. Chez nous, un homme qui se respecte n'épouse pas la fille qu'il a lui-même déflorée avant le mariage.

Est-ce qu'il m'aimait ? Non. Et si j'ai commis une faute, c'est celle de croire que je le retiendrais en faisant ce qu'il voulait. J'étais amoureuse ? J'ai eu peur qu'il en trouve une autre ? C'est une défense qui ne compte pas... même pour moi elle n'a plus de sens.

Un soir, nouvelle réunion de famille : mes parents, ma sœur aînée et son mari Hussein. Mon frère n'est pas à la maison car sa femme va accoucher et il est allé la rejoindre dans sa famille.

J'écoute derrière le mur, terrorisée. Ma mère parle à Hussein :

« On ne peut pas demander à notre fils, il ne sera pas capable, et il est trop jeune.

– Moi je peux m'occuper d'elle. »

Mon père parle à son tour :

« Si tu dois le faire, il faut le faire comme il faut. À quoi tu penses ?

– Ne t'inquiète pas, je vais trouver un moyen. »

Ma mère à nouveau :

« Tu dois t'occuper d'elle, mais il faut t'en débarrasser d'un coup. »

J'entends ma sœur pleurer en disant qu'elle ne veut pas entendre ça et qu'elle veut rentrer chez elle. Hussein lui dit d'attendre et ajoute pour mes parents :

« Vous, vous sortirez. Partez de la maison, il ne faut pas que vous soyez là. Quand vous rentrerez, ce sera fait. »

J'ai entendu ma condamnation à mort de mes propres oreilles, et j'ai filé dans l'escalier car ma sœur allait sortir. Je n'ai pas entendu la suite. Un peu plus tard, mon père a fait le tour de la maison et la porte de la chambre des filles a claqué.

Je n'ai pas dormi. Je n'arrivais pas à réaliser ce que j'avais entendu. Je me disais : est-ce que c'est un rêve ? Est-ce que c'est un cauchemar ? Est-ce qu'ils vont vraiment le faire ? Est-ce que c'est pour me faire peur ? Et s'ils le font, ce sera quand ? Comment ? En me coupant la tête ?

Peut-être qu'ils vont me laisser avoir cet enfant et me tuer après ? Est-ce qu'ils le garderont si c'est un fils ? Est-ce que ma mère l'étouffera si c'est une fille ?

Est-ce qu'ils vont me tuer avant ?

Alors, le lendemain, j'ai fait comme si je n'avais rien entendu. Je me tenais sur mes gardes, mais je n'y croyais pas vraiment. Et puis je tremblais de nouveau, et j'y croyais. Les seules questions étaient quand et où. Ça ne pouvait pas se faire tout de suite... d'ailleurs Hussein était parti. Et puis je ne pouvais pas imaginer Hussein voulant me tuer !

Ma mère m'a dit, ce jour-là, sur le même ton que d'habitude :

« C'est le moment de t'occuper de la lessive, ton père et moi nous allons en ville. »

J'ai su ce qui allait se passer. Ils quittaient la maison comme l'avait dit Hussein.

Lorsque je me suis souvenue, récemment, de la disparition de ma sœur Hanan, je me suis aperçue que c'était la même chose. Les parents étaient sortis, les filles étaient seules à la maison avec leur frère. La seule différence, en ce qui me concerne, c'est que Hussein, lui, n'était pas encore là. J'ai regardé la cour, elle était grande, carrelée en partie, le reste recouvert de sable. Tout autour, un mur surmonté d'une grille bien trop haute avec des pointes. Et dans un coin, la porte grise, métallique, lisse côté cour, sans serrure ni clé, avec une seule poignée à l'extérieur.

Ma sœur Kaïnat ne fait jamais la lessive avec moi, nous n'avons pas besoin d'être deux.

Je ne sais pas quel travail on lui a demandé, ni où elle est avec les petites. Elle ne me parle plus. Elle dort à côté de moi, le dos tourné depuis que j'ai tenté de fuir chez ma tante.

Ma mère attend que je rassemble le linge à laver. Il y en a beaucoup car nous ne faisons la lessive qu'une fois par semaine, en général. Si je commence vers deux ou trois heures de l'après-midi, je n'aurai pas fini avant six heures du soir.

Je vais d'abord chercher de l'eau au puits, tout au fond du jardin. Je dispose le bois pour le feu, je pose la grande lessiveuse dessus et je verse l'eau jusqu'à la remplir à moitié. Et je m'assieds sur une pierre, en attendant qu'elle chauffe.

Mes parents sortent par la porte de la maison, qu'ils referment toujours à clé en partant.

Moi je suis de l'autre côté, dans cette cour. J'attise les braises en permanence. Le feu ne doit pas faiblir, il faut que l'eau soit très chaude pour y faire tremper le linge. Ensuite je frotterai les taches avec du savon à l'huile d'olive, et je retournerai au puits pour l'eau de rinçage.

C'est un travail long et fatigant que j'accomplis depuis des années, mais en ce moment il m'est particulièrement pénible.

Je suis là, pieds nus, assise sur ma pierre, en robe de toile grise, fatiguée d'avoir peur. Je ne sais même plus depuis combien de temps je suis enceinte avec cette peur dans le ventre. Plus de six mois en tout cas. Je regarde la porte de temps en temps, là-bas, tout au fond de la cour immense. Elle me fascine.

S'il vient, il ne peut entrer que par là.

Le feu

Tout à coup, j'entends claquer la porte. Il est là, il avance.

Je revois ces images vingt-cinq ans plus tard comme si le temps s'était arrêté. Ce sont les dernières de mon existence d'avant, là-bas, dans mon village de Cisjordanie. Elles défilent au ralenti comme dans les films à la télévision. Elles reviennent sans cesse devant mes yeux. Je voudrais les effacer dès que la première surgit mais je ne peux plus arrêter le film. Quand la porte claque, il est trop tard pour l'arrêter, j'ai besoin de les revoir, ces images, parce que je cherche toujours à comprendre ce que je n'ai pas compris : comment a-t-il fait ? Est-ce que j'aurais pu lui échapper si j'avais compris ?

Il avance vers moi. C'est mon beau-frère Hussein en tenue de travail, un vieux pantalon et un tee-shirt. Il arrive devant moi, il me dit : « Salut, ça va ? », avec le sourire. Il a dans la bouche une herbe qu'il mâchonne en souriant toujours : « Je vais m'occuper de toi. »

Ce sourire... il dit qu'il va s'occuper de moi, je ne m'y attendais pas. Je souris un peu moi aussi, pour le remercier, n'osant pas dire un mot.

« T'as un gros ventre, hein ? »

Je baisse la tête, j'ai honte de le regarder. Je baisse encore plus la tête, mon front touche mes genoux.

« Tu as une tache, là. Tu as mis le henné exprès ?

– Non, j'ai mis le henné sur mes cheveux, j'ai pas fait exprès.

– Tu as fait exprès, pour le cacher. »

Je regarde le linge que j'étais en train de rincer entre mes mains qui tremblent.

C'est la dernière image fixe et lucide. Ce linge et mes deux mains qui tremblent. Les derniers mots que j'ai entendus de lui, c'est : « Tu as fait exprès, pour le cacher. »

Il ne disait plus rien, je gardais la tête baissée de honte, un peu soulagée qu'il ne pose pas d'autres questions.

Tout à coup j'ai senti quelque chose de froid couler sur ma tête. Et aussitôt le feu était sur moi. J'ai compris le feu, et le film s'accélère, tout va très vite dans les images. Je commence à courir pieds nus dans le jardin, je tape mes mains sur mes cheveux, je crie, et je sens ma robe qui flotte derrière moi. Est-ce que le feu était aussi sur ma robe ?

Je sens cette odeur de pétrole, et je cours, le bas de ma robe m'empêche de faire des grands pas. La terreur me guide, instinctivement, loin de la cour. Je cours vers le jardin puisqu'il n'y a pas d'autre issue. Mais je ne me souviens de presque rien ensuite. Je sais que je cours avec le feu et que je hurle. Comment j'ai fait pour m'échapper ? Est-ce qu'il a couru derrière moi ? Est-ce qu'il attendait que je tombe pour me regarder flamber ?

J'ai forcément grimpé sur le muret du jardin, pour me retrouver, ensuite, soit dans le jardin des voisins, soit dans la rue. Il y avait des femmes, deux il me semble, donc c'était sûrement dans la rue, et elles m'ont tapé dessus. Avec leurs foulards je suppose.

Elles m'ont traînée jusqu'à la fontaine du village, et l'eau est tombée d'un coup sur moi pendant que je hurlais de peur. Je les entends crier, ces femmes, mais je ne vois plus rien. J'ai la tête baissée contre ma poitrine, je sens couler l'eau froide, ça ne s'arrête pas et je crie de souffrance parce que cette eau froide me brûle. Je suis recroquevillée, je sens l'odeur de viande grillée, la fumée. J'ai dû m'évanouir. Je ne vois plus grand-chose. Il y a encore quelques images vagues, des bruits, comme si j'étais dans la camionnette de mon père. Mais ce n'est pas mon père. J'entends des voix de femmes qui pleurent sur moi. « La pauvre », « la pauvre »... Elles me consolent. Je suis couchée dans une voiture. Je sens les cahots sur la route. Je m'entends gémir.

Et puis plus rien, et puis encore ce bruit de voiture, et la voix des femmes. Je brûle encore comme si le feu était toujours sur moi. Je ne peux pas relever la tête, je ne peux plus bouger mon corps ni mes bras, je suis en feu, toujours en feu... je pue l'essence, je ne comprends rien à ce bruit de moteur, aux lamentations de ces femmes, je ne sais pas où elles m'emmènent. Si j'ouvre un peu les yeux, je ne vois qu'un petit morceau de ma robe ou de ma peau. C'est noir, ça pue. Je brûle toujours et pourtant il n'y a plus de feu sur moi. Mais je brûle quand même. Dans ma tête, je cours encore avec le feu sur moi.

Je vais mourir. C'est bien. Je suis peut-être déjà morte. Enfin c'est fini.

Mourir

Je suis sur un lit d'hôpital, recroquevillée en chien de fusil sous un drap. Une infirmière est venue arracher ma robe. Elle a tiré méchamment sur le tissu, la souffrance m'a paralysée. Je ne vois presque rien, mon menton est collé sur ma poitrine, je ne peux pas le relever. Je ne peux pas bouger les bras non plus. La douleur est sur ma tête, sur mes épaules, dans mon dos, sur ma poitrine. Je sens mauvais. Cette infirmière est si méchante qu'elle me fait peur quand je la vois entrer. Elle ne me parle pas. Elle vient arracher des morceaux de moi, elle met une compresse et elle s'en va. Si elle pouvait me faire mourir, elle le ferait, j'en suis sûre. Je suis une sale fille, si on m'a brûlée c'est que je le méritais puisque je ne suis pas mariée et que je suis enceinte. Je sais bien ce qu'elle pense.

Noir. Coma. Combien de temps, jours ou nuits ?...

Personne ne veut me toucher, on ne s'occupe pas de moi, on ne me donne rien à manger ni à boire, on attend que je meure.

Et je voudrais bien mourir tellement j'ai honte d'être encore en vie. Tellement je souffre. Ce n'est pas moi qui bouge, c'est cette mauvaise femme qui me retourne pour arracher des morceaux. Rien d'autre. Je voudrais de l'huile sur ma peau pour calmer la brûlure, je voudrais qu'on enlève ce drap pour que l'air me donne un peu de froid. Un docteur est là. J'ai vu des jambes dans un pantalon, et une blouse blanche. Il a parlé mais je n'ai pas compris. C'est toujours la mauvaise femme qui vient et s'en va. Je peux bouger les jambes, je m'en sers pour soulever le drap de temps en temps. Sur le dos j'ai mal, sur le côté j'ai mal. Je dors, la tête toujours collée à ma poitrine. La tête baissée comme lorsque le feu était sur moi.

Mes bras sont bizarres, un peu écartés et paralysés tous les deux. Mes mains sont toujours là, mais elles ne me servent à rien. Je voudrais tellement me gratter, m'arracher la peau pour ne plus souffrir.

On m'oblige à me lever. Je marche avec cette infirmière. J'ai mal aux yeux. Je vois mes jambes, mes mains qui pendent de chaque côté de moi, le carrelage. Je hais cette femme. Elle m'amène dans une salle et prend un jet d'eau pour me laver. Elle dit que je sens tellement mauvais qu'elle a envie de vomir. Je pue, je pleure, je suis là comme un déchet immonde, comme une pourriture sur laquelle on jette un seau d'eau. Comme le caca dans les toilettes, on tire la chasse, et voilà c'est fini. Meurs. L'eau m'arrache la peau, je crie, je pleure, je supplie, le sang coule jusqu'au bout de mes doigts. Elle m'oblige à rester debout. Elle arrache sous le jet d'eau froide des morceaux de chair noire, des bouts de ma robe brûlée, des ordures puantes qui font un petit tas dans le fond de la douche. Je sens tellement le pourri, la chair brûlée et la fumée qu'elle a mis un masque et par moments sort de la salle d'eau en toussant et en me maudissant.

Je la dégoûte, je devrais crever comme un chien, mais loin d'elle. Pourquoi est-ce qu'elle ne m'achève pas ? Je retourne dans mon lit, brûlante et glacée à la fois, et elle jette le drap sur moi pour ne plus me voir. Crève, me dit son regard. Crève et qu'on aille te jeter ailleurs.

Mon père est là avec sa canne. Il est furieux, il tape sur le sol, il veut savoir qui m'a mise enceinte, qui m'a emmenée ici, comment c'est arrivé. Il a les yeux rouges. Il pleure, le vieil homme, mais il me fait toujours peur avec cette canne et je n'arrive même pas à lui répondre. Je vais m'endormir, ou mourir, ou me réveiller, mon père était là, il n'y est plus.

Mais je n'ai pas rêvé, sa voix résonne encore dans ma tête : « Parle ! »

J'ai réussi à m'asseoir un peu, pour ne plus sentir mes bras collés sur le drap, ma tête soutenue par un oreiller. Rien ne me soulage, mais je peux voir qui passe dans le couloir, la porte est entrouverte. J'entends quelqu'un, j'aperçois des pieds nus, une robe noire et longue, une silhouette petite comme moi, mince, presque maigre. Ce n'est pas l'infirmière. C'est ma mère.

Ses deux nattes poissées à l'huile d'olive, son foulard noir, ce front bizarre, bombé entre les sourcils et qui rejoint le nez, on dirait un oiseau de proie. Elle me fait peur. Elle s'assied sur un tabouret avec son cabas noir. Et elle commence à sangloter, à renifler, à essuyer ses larmes avec un mouchoir en balançant la tête.

Elle pleure du chagrin de la honte. Elle pleure sur elle et toute la famille. Et je vois la haine dans ses yeux.

Elle me questionne en serrant son sac contre elle. Je le connais, ce sac, il m'est familier. Elle l'emporte toujours avec elle pour sortir, aller au marché, ou aux champs. Elle y met du pain, une bouteille d'eau en plastique, parfois du lait. J'ai peur, mais moins qu'en présence de mon père, comme d'habitude. Mon père peut me tuer, mais pas elle. Elle gémit ses phrases, et moi je les chuchote.

« Regarde-toi, ma fille... Je ne pourrais jamais te ramener à la maison comme ça, tu ne peux plus vivre à la maison, tu t'es vue ?

– J'arrive pas à me voir.

– Tu es brûlée. La honte est sur toute la famille. Maintenant je ne peux plus te ramener. Dis-moi comment tu es devenue enceinte ? Avec qui ?

– Faiez. Je ne sais pas le nom de son père.

– C'est Faiez le voisin ? »

Elle recommence à pleurer et à tamponner le mouchoir sur ses yeux, en boule, comme si elle voulait l'enfoncer dans sa tête.

« Où tu as fait ça ? Où ?

– Dans le champ. »

Elle grimace, elle se mord la bouche et pleure encore plus.

« Écoute-moi ma fille, écoute, j'aimerais bien que tu meures, c'est mieux si tu meurs. Ton frère est jeune, si tu ne meurs pas, il aura des problèmes. »

Mon frère va avoir des problèmes. Quels problèmes ? Je ne comprends pas.

« La police est venue voir la famille à la maison. Toute la famille. Ton père et ton frère, et ta mère, et ton beau-frère, toute la famille. Si tu ne meurs pas, ton frère lui-même aura des problèmes avec la police. »

Elle a peut-être sorti le verre de son sac parce qu'il n'y a rien autour de moi. Pas de table près du lit, je ne vois rien. Non, je ne l'ai pas vue fouiller dans son sac, elle l'a pris sur le bord de la fenêtre, c'est un verre de l'hôpital. Mais je n'ai pas vu avec quoi elle l'a rempli.

« Si tu bois pas ça, ton frère va avoir des problèmes, la police est venue à la maison. »

Est-ce qu'elle l'a rempli pendant que je pleurais de honte, de souffrance, de peur. Je pleurais de beaucoup de choses, la tête basse et les yeux fermés.

« Bois ce verre... c'est moi qui te le donne. »

Jamais je n'oublierai ce gros verre, plein à ras bord, avec du liquide transparent à l'intérieur, comme de l'eau.

« Tu vas boire ça, ton frère n'aura pas de problèmes. C'est mieux, c'est mieux pour toi, c'est mieux pour moi, c'est mieux pour ton frère. »

Et elle pleurait. Et moi aussi. Je me souviens que les larmes coulaient sur les brûlures de mon menton, le long de mon cou, et elles me dévoraient la peau.

Je n'arrivais pas à soulever mes bras. C'est elle qui a mis ses mains sous ma tête, elle qui m'a soulevée vers le verre qu'elle tenait dans la main. Personne ne m'avait donné à boire jusque-là. Elle approchait ce gros verre de ma bouche. J'aurais voulu y tremper au moins mes lèvres, tellement j'avais soif. J'essayais de relever le menton, mais je n'y arrivais pas.

Tout à coup, le docteur est arrivé, et ma mère a sursauté. Il a pris le verre d'un geste brusque, il l'a reposé brutalement et a crié très fort : « Non ! »

J'ai vu le liquide se répandre sur le bord de la fenêtre. Il coulait le long du verre, transparent, aussi clair que de l'eau.

Le médecin a pris ma mère par le bras et l'a fait sortir de la chambre. Je regardais toujours ce verre, je l'aurais bu même par terre, je l'aurai léché à coups de langue, comme un chien. J'avais soif, autant de boire que de mourir.

Le médecin est revenu et m'a dit :

« Tu as de la chance que je sois arrivé au bon moment. Ton père, et maintenant ta mère ! Personne de ta famille ne reviendra ici ! »

Il a repris le verre avec lui et m'a répété :

« Tu as eu de la chance... Je ne veux plus voir personne de ta famille !

– Mon frère Assad, j'aimerais voir mon frère, il est gentil. »

Je ne sais plus ce qu'il m'a répondu. J'étais bizarre, tout tournait dans ma tête. Ma mère m'avait parlé de police, de mon frère qui aurait des ennuis ? Pourquoi lui, puisque c'était Hussein qui avait mis le feu sur moi ? Ce verre, c'était pour me faire mourir. Il y avait encore une tache sur le rebord de la fenêtre. Ma mère souhaitait que je meure et moi aussi. Et pourtant j'avais eu de la chance, disait le médecin, car j'étais sur le point de boire ce poison invisible. Je me sentais délivrée, comme si la mort m'avait envoûtée et que le médecin l'ait fait disparaître en une seconde. Ma mère était une excellente mère, la meilleure des mères, elle faisait son devoir en me donnant la mort. C'était mieux pour moi. Il ne fallait pas me sauver du feu, m'emmener ici pour y souffrir, et mettre si longtemps à mourir pour me délivrer de ma honte et de celle de toute ma famille.

Mon frère est venu, trois ou quatre jours après. Jamais je n'oublierai ce sac de plastique transparent, je voyais des oranges au travers, et une banane. Je n'avais rien mangé ni bu depuis que j'étais là. Je ne pouvais pas, et de toute façon personne n'essayait de m'aider. Même le médecin n'osait pas. J'avais compris qu'on me laissait mourir, parce qu'il ne fallait pas intervenir dans mon histoire.

J'étais coupable aux yeux de tout le monde. Je subissais le sort de toutes les femmes qui salissent l'honneur des hommes. On m'avait lavée simplement parce que j'empestais, pas pour me soigner. On me gardait là parce que c'était un hôpital où je devais mourir sans créer d'autres problèmes à mes parents et à tout mon village.

Hussein avait mal fait son travail, il m'avait laissée courir avec le feu.

Assad n'a pas posé de question. Il avait peur et il était pressé de retourner au village.

« Je vais passer par les champs, pour que personne ne me voie. Si les parents savent que je suis venu te voir, je vais avoir des problèmes. »

J'avais voulu qu'il vienne, et pourtant j'étais inquiète de le voir se pencher au-dessus de moi. J'ai vu dans ses yeux que je le dégoûtais avec mes brûlures. Personne, même pas lui, ne s'est préoccupé de savoir à quel point je souffrais de cette peau qui se creusait, pourrissait, suintait en me dévorant lentement comme le venin d'un serpent sur tout le haut de mon corps, mon crâne sans cheveux, mes épaules, mon dos, mes bras, mes seins.

J'ai beaucoup pleuré. Est-ce que j'ai pleuré parce que je savais que c'était la dernière fois que je le voyais ? Est-ce que j'ai pleuré parce que j'avais tellement envie de voir ses enfants ? On attendait que sa femme accouche. J'ai su plus tard qu'elle avait eu deux garçons. Toute la famille a dû l'admirer et la féliciter.

Je n'ai pas pu manger les fruits. Toute seule c'était impossible, et le sac a disparu.

Je n'ai plus jamais revu ma famille. Ma dernière vision de ma mère, c'est cette image du verre d'eau empoisonnée. Celle de mon père frappant furieusement le sol de sa canne. Et mon frère avec son sac de fruits.

Au plus profond de ma souffrance, je cherchais encore à comprendre pourquoi je n'avais rien vu quand le feu est arrivé sur ma tête. Il y avait un bidon d'essence à côté de moi, mais il était fermé par un bouchon. Je n'ai pas vu Hussein le prendre. Je baissais la tête pendant qu'il me disait qu'il allait « s'occuper de moi » et pendant quelques secondes je me suis crue sauvée à cause de ce sourire et de cette herbe qu'il mâchonnait tranquillement. En réalité, il voulait me mettre en confiance pour éviter que je ne m'échappe. Il avait tout prévu la veille avec mes parents. Mais où a-t-il pris le feu ? Dans la braise ? Je n'ai rien vu. Il a utilisé une allumette pour faire si vite ? J'en avais toujours une boîte à côté de moi, mais je n'ai rien vu non plus. Alors un briquet dans sa poche... Juste le temps de sentir le liquide froid sur mes cheveux, et je flambais déjà. J'aimerais tant savoir pourquoi je n'ai rien vu.

La nuit, couchée à plat sur ce lit, c'est un cauchemar sans fin. Je suis dans le noir complet, je vois des rideaux autour de moi, la fenêtre a disparu. Une douleur étrange comme un coup de couteau dans le ventre, les jambes qui tremblent... je suis en train de mourir. J'essaie de me redresser sans y parvenir. Mes bras sont toujours raides, deux plaies immondes qui refusent de me servir. Il n'y a personne, je suis seule, alors qui m'a planté ce couteau dans le ventre ?

Je sens entre mes cuisses quelque chose d'étrange. Je plie une jambe, puis l'autre, je cherche du pied, j'essaie de dégager seule cette chose qui m'effraie. Je ne me rends pas compte, au début, que je suis en train d'accoucher. C'est avec mes deux pieds que je tâte dans le noir. Je repousse sans le savoir le corps de l'enfant, lentement sous le drap. Puis je reste immobile, épuisée par l'effort.

Je rapproche mes jambes, et je sens le bébé contre ma peau, de chaque côté. Il bouge un peu. Je retiens mon souffle. Comment est-il sorti si vite ? Un coup de poignard dans le ventre et il est là ? Je vais me rendormir, c'est impossible, cet enfant n'est pas sorti tout seul sans prévenir. Je suis en train de faire un cauchemar.

Mais je ne rêve pas, puisque je le sens là, entre mes genoux, contre la peau de mes jambes. Elles n'ont pas brûlé, mes jambes, je sens les choses avec cette peau-là, et celle de mes pieds. Je n'ose plus bouger, puis je lève encore un pied comme je le ferais d'une main, pour effleurer... une tête minuscule, des bras qui s'agitent faiblement.

J'ai dû crier. Je ne m'en souviens pas. Le médecin entre dans la chambre, tire les rideaux, mais je suis toujours dans le noir. Ce doit être la nuit, dehors. Je ne vois qu'une lumière dans le couloir par la porte ouverte. Le médecin se penche, retire le drap, et il emporte l'enfant, sans même me le montrer.

Il n'y a plus rien entre mes deux jambes. Quelqu'un tire les rideaux. Je ne me souviens de rien d'autre. J'ai dû m'évanouir, j'ai dû dormir longtemps, je n'en sais rien. Le lendemain et les jours suivants, je n'ai plus qu'une certitude, l'enfant a quitté mon ventre.

Je ne savais pas s'il était vivant ou mort, personne ne m'en parlait, et je n'osais pas demander à cette infirmière mauvaise ce qu'on avait fait de cet enfant.

Qu'il me pardonne, j'étais incapable de lui donner une réalité. Je savais que j'avais accouché, mais je ne l'avais pas vu, on ne me l'avait pas mis dans les bras, je ne savais pas s'il était garçon ou fille. Je n'étais pas une mère à ce moment-là, mais un débris humain condamné à mort. La honte était la plus forte.

Le médecin m'a dit plus tard que j'avais accouché à sept mois d'un tout petit bébé, mais qu'il était vivant et à l'abri. J'entendais vaguement ce qu'il me disait, mes oreilles brûlées me faisaient tellement souffrir ! Le haut de mon corps n'était qu'une souffrance, et je passais du coma à un demi-éveil, sans voir défiler les jours et les nuits. Tout le monde espérait à me voir mourir et s'y attendait.

Et moi je trouvais que Dieu ne me faisait pas mourir assez vite. Les nuits et les jours se confondaient dans le même cauchemar et dans mes rares moments de lucidité je n'avais qu'une obsession, arracher avec mes ongles cette peau infecte et puante qui continuait de me dévorer. Malheureusement, mes bras ne m'obéissaient plus.

Quelqu'un est entré dans ma chambre, une fois, au milieu de ce cauchemar. J'ai deviné sa présence plus que je ne l'ai vu. Une main de femme est passée comme une ombre au-dessus de mon visage, sans le toucher. Une voix de femme avec un drôle d'accent m'a dit en arabe : « Je vais t'aider... Aie confiance, je vais t'aider, tu m'entends ? »

J'ai dit oui sans y croire, tellement j'étais mal dans ce lit, abandonnée au mépris des autres. Je ne comprenais pas comment on pouvait m'aider, et surtout qui aurait le pouvoir de le faire.

Me ramener dans ma famille ? Elle ne voulait plus de moi. Une femme brûlée pour l'honneur doit brûler entièrement. M'aider à ne plus souffrir, m'aider à mourir, c'était la seule solution.

Mais je dis oui à cette voix de femme, et je ne sais pas qui elle est.

Jacqueline

Je m'appelle Jacqueline. À cette époque, je suis au Moyen-Orient où je travaille avec une organisation humanitaire, Terre des hommes. Je parcours les hôpitaux à la recherche d'enfants abandonnés, handicapés ou en état de malnutrition. Je travaille en collaboration avec le CICR, la Croix-Rouge internationale, et différentes organisations qui s'occupent de Palestiniens et d'Israéliens. J'œuvre donc dans les deux communautés et j'ai beaucoup de contact avec les deux populations. Je vis avec elles.

Mais c'est seulement au bout de sept ans de présence au Moyen-Orient que j'entends parler de jeunes filles assassinées. Leurs familles leur reprochent d'avoir rencontré un garçon ou d'avoir parlé avec lui. On les soupçonne parfois sans aucune preuve, sur les dires de n'importe qui. Il arrive que ces jeunes filles aient vraiment eu une aventure avec un garçon, ce qui est absolument impensable dans leur communauté, étant donné que ce sont les pères qui décident des mariages. J'entends dire... On me dit... Mais, jusque-là, je n'ai jamais été confrontée à un cas de ce genre.

Pour un esprit occidental, l'idée que des parents ou des frères puissent assassiner leur fille ou leur sœur, simplement parce qu'elle est tombée amoureuse, paraît incroyable, surtout à l'époque. Chez nous, les femmes se libèrent, votent, font des enfants toutes seules...

Mais je suis ici depuis sept ans, et j'y crois tout de suite, même si je n'en ai jamais vu et que c'est la première fois qu'on m'en parle. Il faut que s'installe un climat de grande confiance pour parler d'un sujet aussi tabou que celui-là, et qui ne regarde surtout pas les étrangers. C'est une femme qui se décide à l'évoquer devant moi. Une amie chrétienne, avec laquelle je suis très souvent en contact car elle s'occupe d'enfants. Elle voit donc passer beaucoup de mères qui viennent de tout le pays, de tous les villages. Et elle est un petit peu comme le *moukhtar* du secteur, c'est-à-dire qu'elle invite les femmes à boire le café ou le thé et discute avec elles de ce qui se passe dans leur village. C'est une forme de communication importante, ici. On boit tous les jours le café ou le thé en bavardant, c'est la coutume, et donc l'occasion pour elle de repérer les cas d'enfants en difficulté grave.

Un jour, elle entend dire par un groupe de femmes : « Dans le village, on a une jeune fille qui se conduisait très mal, alors ses parents ont essayé de la brûler. On dit qu'elle est dans un hôpital, quelque part. »

Cette amie a un certain charisme, on la respecte, et elle fait preuve d'un courage énorme, je m'en rendrai compte par la suite. Normalement, elle ne s'occupe que d'enfants, mais la mère n'est jamais loin de l'enfant ! Donc, vers le 15 septembre de cette année-là, mon amie me dit :

« Écoute, Jacqueline, il y a une fille à hôpital qui est en train de mourir. L'assistante sociale m'a confirmé qu'elle avait été brûlée par quelqu'un de sa famille. Est-ce que tu crois que tu peux faire quelque chose ?

– Que sais-tu de plus ?

– Seulement que c'est une jeune fille qui était enceinte et dont le village dit : "Ils ont bien fait de la punir, maintenant, elle va mourir à l'hôpital."

– C'est monstrueux !

– Je sais, mais ici c'est comme ça. Elle est enceinte et puis, voilà, elle va mourir. C'est tout. C'est normal. On dit : "Pauvres parents !" On les plaint, mais pas la fille. D'ailleurs, elle va vraiment mourir, d'après ce que j'ai entendu. »

Une histoire pareille, c'est une sonnette d'alarme dans ma tête. À l'époque, je travaille donc au sein de l'association Terre des hommes, dirigée par un homme fantastique : Edmond Kaiser. Ma mission première, ce sont les enfants. Je n'ai jamais abordé, et pour cause, ce genre de cas, mais je me dis : « Jacqueline, ma vieille, tu dois aller voir de près ce qui se passe ! »

Je pars pour cet hôpital, que je connaissais assez mal pour l'avoir peu visité. Je n'ai pas de problème parce que je connais le pays, les coutumes, que je me débrouille dans la langue et que j'ai passé pas mal de temps dans les hôpitaux. Je demande simplement qu'on m'amène vers une fille qui a été brûlée. On me guide sans problème, et j'entre dans une grande pièce où je vois deux lits et deux filles. J'ai immédiatement l'impression qu'il s'agit d'une salle de relégation. Un endroit où l'on met les cas qu'il ne faut pas montrer.

Une chambre assez sombre, des barreaux aux fenêtres, deux lits et le reste entièrement vide.

Comme il y a deux filles, je demande à l'infirmière :

« Je cherche celle qui vient d'avoir un bébé.

– Ah oui, c'est celle-là ! »

Et c'est tout. L'infirmière s'en va. Elle ne s'arrête même pas dans le couloir, elle ne me demande pas qui je suis, rien ! Juste un geste vague en direction de l'un des lits : « C'est celle-là ! »

J'en vois une avec des cheveux courts, frisés mais presque rasés, et une autre aux cheveux mi-courts et raides. Mais les deux filles ont le visage tout noir, plein de suie. Leur corps est recouvert d'un drap. Je sais qu'elles sont là depuis un moment. Environ quinze jours, à ce qu'on m'a dit. Il est évident qu'elles ne peuvent pas parler. Deux moribondes. Celle qui a des cheveux raides est dans le coma. L'autre, celle qui a eu un enfant, soulève à peine les paupières par moments.

Personne ne circule dans cette salle, ni infirmière ni médecin. Je n'ose pas parler, encore moins les toucher, et l'odeur qui règne ici est infecte. Je suis venue pour en voir une, j'en découvre deux affreusement brûlées de toute évidence, et sans soins. Je ressors chercher une infirmière ailleurs que dans cette pièce de relégation. J'en trouve une : « Je voudrais voir le médecin-chef de l'hôpital. »

J'ai l'habitude de ce genre de lieux hospitaliers, ce n'est pas tout nouveau pour moi. Le médecin-chef me reçoit bien, plutôt sympathique.

« Voilà, il y a ici deux jeunes filles brûlées. Vous savez que je travaille avec une organisation humanitaire, peut-être qu'on pourrait les aider ?

– Écoutez... je ne vous le conseille pas. Il y en a une qui est tombée dans le feu et l'autre, c'est une affaire de famille. Je ne vous conseille vraiment pas de vous en mêler.

– Docteur, mon travail c'est quand même d'aider, et en particulier les gens qui ne sont pas aidés par ailleurs. Pouvez-vous m'en dire un peu plus ?

– Non, non, non. Soyez prudente. Ne vous mêlez pas de ce genre d'histoires ! »

Quand c'est comme ça, il ne faut pas trop forcer les gens. J'en reste donc là, mais je redescends dans la salle de relégation et je m'assois un moment. J'attends, en espérant que celle qui ouvre un peu les yeux puisse communiquer. L'état de l'autre est plus inquiétant.

Comme une infirmière passe dans le couloir, je tente de poser une question :

« Cette jeune fille, celle qui a des cheveux et qui ne bouge pas, qu'est-ce qu'il lui est arrivé ? »

– Ah, elle est tombée dans le feu, elle est très mal, elle va mourir. »

Aucune pitié dans ce diagnostic. Simplement une constatation. Mais la formule qui consiste à dire « elle est tombée dans le feu » ne me trompe pas.

L'autre bouge un peu. Je m'approche d'elle et je reste là un bon moment, sans rien dire. J'observe, j'essaie de comprendre, j'écoute les bruits de couloir, en espérant que quelqu'un d'autre va venir à qui je pourrais m'adresser. Mais les infirmières passent très vite, elles ne s'occupent absolument pas de ces deux filles. De toute évidence, il n'y a pas de soins organisés pour elles. En fait, il y en a certainement un peu, mais je ne les vois pas. Personne ne s'approche de moi, on ne me demande rien. Je suis pourtant une étrangère, vêtue à l'occidentale mais toujours très couverte, par respect pour les traditions du pays où je travaille. C'est indispensable pour être reçue partout. On pourrait au moins me demander ce que je fais là, mais au lieu de cela on m'ignore.

Au bout d'un moment, je me penche sur celle qui semble pouvoir m'entendre, mais je ne sais pas où la toucher. Le drap m'empêche de voir où elle a été brûlée. Je vois que le menton est complètement collé à la poitrine. C'est un morceau d'un seul bloc. Je vois que les oreilles sont brûlées, et qu'il n'en reste pas grand-chose. Je passe une main devant ses yeux. Elle ne réagit pas. Je ne vois ni ses mains ni ses bras, et je n'ose pas soulever ce drap. Finalement, je ne sais pas comment m'y prendre. Il faut pourtant que je la touche quelque part, pour signaler ma présence. Comme avec une mourante, pour lui faire comprendre que quelqu'un est là, qu'elle sente une présence, un contact humain.

Ses jambes sont repliées, les genoux en l'air sous le drap, comme les femmes s'assoient à la mode orientale, mais à l'horizontale. Je pose ma main sur un genou et elle ouvre les yeux.

« Comment tu t'appelles ? »

Elle ne répond pas.

« Écoute, je vais t'aider. Je vais revenir et je vais t'aider.

– *Aioua.* »

Oui, en arabe, et c'est tout. Elle referme les yeux. Je ne sais même pas si elle m'a vue.

C'était ma première rencontre avec Souad.

Je suis repartie bouleversée. J'allais faire quelque chose, c'était évident pour moi ! Dans tout ce que j'ai entrepris jusqu'ici, j'ai toujours eu le sentiment d'avoir reçu un appel. On me parle d'une détresse, j'y vais en sachant que je vais faire quelque chose pour répondre à cet appel. Je ne sais pas quoi, mais je trouverai.

Je retourne donc voir cette amie qui me donne quelques précisions nouvelles, si l'on peut dire, sur le cas de cette jeune fille.

« L'enfant qu'elle a eu, le service social le lui a déjà enlevé sur ordre de la police. Tu ne vas rien pouvoir faire. Elle est jeune, personne ne va t'aider dans l'hôpital. Jacqueline, crois-moi, tu ne vas rien pouvoir faire.

– Bon, on va voir. »

Le lendemain, je retourne à l'hôpital. Elle n'est toujours pas très consciente, et sa voisine de lit toujours dans le coma. Et cette odeur pestilentielle est insupportable. J'ignore l'étendue des brûlures, mais personne ne les a désinfectées. Le surlendemain, un des deux lits est vide. La jeune fille dans le coma est morte pendant la nuit. Je regarde ce lit, vide mais pas nettoyé pour autant, avec une peine immense. C'est toujours un gros chagrin de ne pas avoir pu faire quelque chose. Et je me dis : « Maintenant, il faut s'occuper de l'autre. » Mais elle est à moitié inconsciente, elle délire beaucoup et je ne comprends rien à ce qu'elle essaie de me répondre.

Et voilà qu'arrive ce que j'appelle le miracle. En la personne d'un jeune médecin palestinien que je vois ici pour la première fois. Le directeur de l'hôpital m'a déjà dit : « Laissez tomber, elle va mourir. » Je demande son avis à ce jeune médecin :

« Qu'en pensez-vous ? Pourquoi ne lui nettoie-t-on pas le visage, déjà ?

– On essaie de la nettoyer comme on peut, ce n'est pas facile. Ce genre de cas est très difficile pour nous, très compliqué, à cause des coutumes... vous comprenez...

– Croyez-vous qu'on puisse la sauver, qu'on puisse faire quelque chose ?

– Si elle n'est pas déjà morte, il y a peut-être des chances. Mais soyez prudente avec ce genre d'histoire, très prudente. »

Les jours suivants, je trouve un visage un peu plus propre, et des traces de mercurochrome de-ci de-là. Le jeune médecin a dû donner des instructions à l'infirmière, qui fait un effort, mais sans se donner beaucoup de mal. Souad m'a raconté plus tard qu'on l'avait prise par les cheveux pour la rincer dans une baignoire et qu'on la manipulait de cette façon parce que personne ne voulait la toucher. Je me garde donc bien de critiquer, ça ne ferait qu'empirer mes relations avec cet hôpital. Je retourne voir mon jeune médecin arabe, le seul qui me paraisse accessible.

« Je travaille avec une organisation humanitaire, je peux faire quelque chose, alors j'aimerais bien savoir si elle a une espérance de vie.

– Moi, il me semble que oui. On pourrait tenter quelque chose, mais je doute que ça se fasse dans notre hôpital.

– Alors, peut-être pourrait-on la changer d'hôpital ?

– Oui, mais elle a une famille, des parents, elle est mineure, on ne peut pas ! On ne peut pas intervenir, les parents savent qu'elle est là, la mère est déjà venue, et d'ailleurs les visites leur sont interdites depuis... C'est un cas très spécial, croyez-moi.

– Écoutez, docteur, moi, je voudrais faire quelque chose. Je ne sais pas quelles sont les interdictions, mais si vous me dites qu'elle a une espérance de vie quelconque, même la plus petite, je ne peux pas laisser tomber. »

Alors ce jeune médecin me regarde, un peu étonné de mon obstination. Il pense sûrement que je ne fais pas le poids... une de ces « humanitaires » qui ne comprennent rien au pays. Je lui donne une trentaine d'années, et je le trouve sympathique. Il est grand, mince, brun, et il parle bien l'anglais. Il ne ressemble pas du tout à ses confrères, plutôt fermés habituellement aux demandes des Occidentaux.

« Si je peux vous aider, je vous aiderai. »

Gagné. Les autres jours, il parle volontiers avec moi de l'état de la patiente. Comme il a été éduqué en Angleterre et qu'il est assez cultivé, les relations sont plus faciles. Je vais un peu plus loin dans mon investigation sur Souad, et j'apprends qu'effectivement elle n'a pas de soins.

« Elle est mineure, on ne peut absolument pas la toucher sans demander l'avis de ses parents. Et pour eux elle est morte, en tout cas ils n'attendent que ça.

– Mais si je voulais la mettre dans un autre hôpital où elle serait soignée et mieux traitée, pensez-vous qu'on me laisserait faire ?

– Non. Il n'y a que les parents qui puissent permettre ça, et ils ne vont pas vous y autoriser ! »

Je retourne voir mon amie, à l'origine de l'aventure, et je lui fais part de mon idée :

« Je voudrais la faire transporter ailleurs. Qu'en penses-tu ? C'est possible ?

– Tu sais, si les parents veulent qu'elle meure, tu n'arriveras à rien ! C'est une question d'honneur pour eux dans le village. »

Je suis assez entêtée dans ce genre de situation. Je ne me contente pas de négatif, je veux forcer le négatif jusqu'à trouver une ouverture positive, même infime. En tout cas, aller jusqu'au bout d'une idée.

« Penses-tu que je puisse aller dans ce village ?

– Tu risques gros, là-bas. Écoute-moi bien. Tu ignores que c'est un code d'honneur imparable. Ils veulent qu'elle meure, parce que sinon leur honneur n'est pas lavé, et la famille est rejetée du village. Ils devront s'en aller déshonorés, tu comprends ? Tu peux toujours essayer de te jeter dans la gueule du loup, mais à mon avis tu prends un gros risque pour ne pas arriver à grand-chose, finalement. Elle est condamnée. Sans soins depuis si longtemps avec des brûlures pareilles, elle ne survivra pas, la malheureuse. »

Mais cette petite Souad ouvre quand même un peu les yeux quand je viens la voir. Et elle m'écoute, et me répond un peu malgré sa souffrance abominable.

« Je sais que tu as eu un enfant. Où est-il ?

– Je sais pas. On l'a pris. Je sais pas... »

Avec ce qu'elle endure, et ce qui l'attend, la mort annoncée comme on dit, je comprends bien que l'enfant n'est pas son problème majeur.

« Souad, il faut que tu me répondes, parce que je veux faire quelque chose. Si on arrive à s'en sortir, si je t'emmène ailleurs, est-ce que tu viens avec moi ?

– Oui, oui, oui. Je viens avec toi. Où est-ce qu'on va ?

– Dans un autre pays, je ne sais pas où, mais quelque part où on n'entende plus parler de tout ça.

– Oui, mais tu sais, mes parents...

– On va voir avec tes parents. On va voir. D'accord ? Tu as confiance ?

– Oui... Merci. »

Alors, munie de cette confiance, je demande au jeune médecin s'il sait où se trouve ce fameux village où on brûle comme des torches les filles coupables d'être amoureuses.

« Elle vient d'un petit hameau, à une quarantaine de kilomètres d'ici. C'est assez loin, il n'y a guère de route carrossable, et c'est dangereux parce qu'on ne sait pas très bien ce qui s'y passe. Il n'y a pas de police dans ces coins-là.

– Je ne sais pas si je peux y aller seule...

– Oh là ! Je ne vous le conseille pas du tout. Déjà, pour trouver le hameau, vous allez vous perdre dix fois. Il n'y a pas de cartes aussi détaillées... »

Je suis naïve, mais pas trop. Je sais que c'est tout un problème pour demander son chemin dans ce genre de lieux quand on est étranger. D'autant plus que le hameau en question est en territoire occupé par les Israéliens. Moi, Jacqueline, Terre des hommes ou pas, humanitaire ou pas, chrétienne ou pas, je peux tout à fait ressembler à une Israélienne venue espionner les Palestiniens. Ou bien l'inverse, selon la portion de route où je me trouverai.

« Voulez-vous me rendre le service de venir avec moi ?

– C'est de la folie.

– Écoutez, docteur, on pourrait sauver une vie... vous me dites vous-même qu'il y a un espoir si on l'emmène ailleurs qu'ici... »

Sauver une vie. L'argument a du sens pour lui, il est médecin. Mais il est aussi du pays, comme les infirmières, et pour les infirmières Souad, ou une autre fille comme elle, doit mourir...

Une, déjà, n'a pas survécu. J'ignore si elle avait une chance de s'en sortir, mais on ne l'a pas soignée, en tout cas. J'aurais bien envie de dire à ce sympathique médecin que je trouve insupportable de « laisser crever » une jeune fille sous prétexte que c'est la coutume ! Mais je ne le ferai pas, parce que je sais qu'il est pris lui-même dans ce système, face à son hôpital, à son directeur, aux infirmières, à la population elle-même. Il est déjà bien courageux d'en parler avec moi. Les crimes d'honneur sont tabous.

Et je finis par le convaincre à moitié. C'est réellement un homme très bon, honnête, il m'attendrit lorsqu'il me répond d'un air hésitant :

« Je ne sais pas si j'ai le courage...

– On va toujours essayer. Et si ça ne va pas, on revient.

– D'accord, mais vous me laisserez faire demi-tour s'il y a la moindre complication. »

Je promets. Cet homme, que je nommerai Hassan, va donc me servir de guide.

Je suis une jeune femme occidentale qui travaille au Moyen-Orient avec Terre des hommes pour s'occuper d'enfants en détresse, qu'ils soient musulmans, juifs ou chrétiens. C'est un exercice de diplomatie permanent et compliqué. Mais le jour où je monte dans ma voiture avec ce médecin courageux à mes côtés, je ne me rends pas vraiment compte du risque. Les routes ne sont pas sûres, les habitants méfiants, et j'entraîne ce médecin arabe, fraîchement émoulu d'une université anglaise, dans une aventure qui serait rocambolesque si le but à atteindre n'était pas si grave. Il doit me trouver complètement folle.

Le matin du départ, Hassan est un peu vert de peur. Je mentirais en disant que je suis à l'aise, mais avec l'inconscience de ma jeunesse à l'époque, et la certitude de mon engagement au service des autres, je fonce. Evidemment nous ne sommes pas armés ni l'un ni l'autre.

Pour moi, c'est « à Dieu vat » ; pour lui, c'est « inch' Allah » !

Au sortir de la ville, nous roulons dans un paysage classique de campagne palestinienne, morcelé de terrains qui appartiennent aux petits paysans. Ce sont des parcelles entourées par des murets de pierres sèches, avec beaucoup de petits lézards et de serpents qui courent entre les pierres. La terre est ocre rouge, piquée de figuiers de Barbarie.

La piste qui part de la ville n'est pas goudronnée, mais carrossable. Elle relie les hameaux et les villages voisins, les marchés. Les chars israéliens l'ont passablement aplanie, mais il reste suffisamment de trous pour faire grincer ma petite voiture. Plus on s'éloigne de la ville, plus on rencontre de petites cultures. Si la parcelle est assez grande, les paysans y font du blé, plus petite, elle laisse paître les troupeaux. Quelques chèvres, quelques moutons. Plus si le paysan est riche.

Les filles travaillent aux cultures. Elles vont très peu, voire pas du tout, à l'école, et celles qui ont la chance d'y aller sont récupérées très vite pour s'occuper des plus petits. J'ai déjà compris que Souad était totalement illettrée.

Hassan connaît cette piste, mais nous partons à la recherche d'un hameau dont il n'a jamais entendu parler. Nous demandons de temps en temps notre chemin, mais, comme ma voiture est ornée d'une plaque israélienne, elle nous mettrait plutôt en danger. Nous sommes en territoire occupé, et les indications que l'on nous donne ne sont pas forcément fiables.

Au bout d'un moment, Hassan me dit :

« Ce n'est quand même pas raisonnable, on va être tout seuls dans ce hameau. J'ai fait prévenir la famille par le téléphone arabe, mais Dieu sait comment ils nous attendent ? Le père seul ? Toute la famille ? Ou tout le village ? Ils ne peuvent pas comprendre votre démarche !

– Vous leur avez bien dit que la petite va mourir et qu'on vient pour leur en parler ?

– Justement, c'est ça qu'ils ne vont pas comprendre. Ils l'ont brûlée, et celui qui a fait ça nous attend probablement au tournant. De toute façon, ils diront que sa robe a pris feu, ou qu'elle est tombée sur le brasier la tête la première ! C'est compliqué dans les familles... »

Je le sais. Depuis le début, une bonne dizaine de jours environ, on me répète qu'une femme brûlée, c'est compliqué, et que je ne dois pas m'en mêler. Seulement voilà, je m'en mêle.

« Je vous assure qu'il vaudrait mieux faire demi-tour... »

Je stimule le courage de mon précieux compagnon. Sans lui, j'y serais peut-être allée quand même, mais une femme seule ne circule pas dans ces régions.

Finalement, nous dénichons le hameau en question. Le père nous reçoit dehors, à l'ombre d'un arbre immense, devant sa maison. Je m'assieds par terre avec Hassan à ma droite. Le père est assis appuyé au tronc d'arbre, dans une position familière, une jambe repliée, sur laquelle pose une canne. C'est un homme petit, roux, au visage très pâle avec des taches de rousseur, un peu albinos. La mère reste debout, très droite dans sa robe noire, un voile de la même couleur sur la tête. Son visage est découvert. C'est une femme sans âge, aux traits burinés, au regard dur. Les paysannes palestiniennes ont souvent ce regard-là. Mais avec ce qu'elles endurent comme charge de travail, d'enfants et d'esclavage, c'est normal.

La maison est de taille plutôt moyenne, d'aspect très typique de la région, mais nous n'en voyons pas grand-chose. Elle a l'air fermée vue de l'extérieur. En tout cas, l'homme n'est pas pauvre.

Hassan me présente après les politesses d'usage.

« Voilà, cette dame travaille dans une organisation humanitaire... »

Et la conversation s'engage à la palestinienne, entre les deux hommes d'abord :

« Comment vont les troupeaux ?... Et la récolte ?... Vous vendez bien ?...

– Il fait mauvais... c'est l'hiver qui commence, les Israéliens nous font plein de problèmes... »

On parle de la pluie et du beau temps assez longtemps avant d'aborder le but de notre visite. C'est normal. Il ne parle pas de sa fille, donc Hassan n'en parle pas, et moi non plus. On nous propose le thé – puisque je suis une étrangère en visite, je ne peux pas refuser l'hospitalité coutumière – et il est temps de repartir. Salutations.

« Nous reviendrons vous rendre visite... »

Nous n'allons pas plus loin et repartons. Parce qu'il faut commencer ainsi, nous le savons tous les deux. Il faut entrer en matière, ne pas se présenter en ennemis, ou en questionneurs, laisser faire le temps, pour pouvoir revenir.

Et nous voilà sur la piste en direction de la ville, à quarante et quelques kilomètres de là. Je me souviens du « ouf » que j'ai poussé.

« Ça ne s'est pas mal passé ? On y retourne dans quelques jours.

– Vous voulez vraiment y retourner ?

– Oui, nous n'avons rien fait pour le moment.

– Mais que pouvez-vous leur proposer ? Si c'est de l'argent, ça ne sert à rien... n'y comptez pas. L'honneur c'est l'honneur.

– Je vais tabler sur le fait qu'elle est en train de mourir. C'est malheureusement vrai, vous me l'avez dit vous-même...

– Sans soins d'urgence, et l'urgence est déjà dépassée, elle n'a guère de chance en effet.

– Donc, puisqu'elle peut y rester, je vais leur dire que je l'emmène ailleurs pour mourir... Ça peut les arranger d'être débarrassés du problème ?

– Elle est mineure et elle n'a pas de papiers, il faut l'accord des parents. Ils ne bougeront pas pour des papiers, vous n'y arriverez pas...

– On y retourne quand même. Vous faites sonner le téléphone arabe quand ?

– Dans quelques jours, laissez-moi le temps... »

Elle n'a pas le temps, la petite Souad. Mais Hassan a beau être un docteur miracle pour mon expédition, il a un travail à l'hôpital, une famille, et le simple fait de se mêler d'un crime d'honneur peut lui attirer des ennuis graves. Je le comprends de plus en plus et je respecte sa prudence. S'attaquer à un tabou de ce genre, tenter de le contourner en tout cas, c'est nouveau pour moi, et j'y mets toute mon énergie. Mais c'est lui qui prend les contacts au village pour annoncer nos visites, et j'imagine parfaitement la force de persuasion qu'il doit employer à cette simple tâche...

Souad va mourir

« Mon frère, il est gentil. Il a essayé de m'apporter des bananes, et le docteur lui a dit de ne plus revenir.

– Qui t'a fait ça ?

– Mon beau-frère, Hussein, le mari de ma sœur aînée. Ma mère, elle a apporté du poison dans un verre... »

J'en connais un peu plus sur l'histoire de Souad. Elle me parle mieux, mais les conditions dans cet hôpital sont terribles pour elle. On l'a baignée une fois en la tenant par le peu de cheveux qui lui reste. Les brûlures s'infectent, suintent et saignent en permanence. J'ai aperçu le haut de son corps : sa tête est toujours baissée comme en prière, le menton collé sur le haut du buste. Elle ne peut pas bouger les bras. L'essence ou le pétrole a été versé sur le haut de sa tête. Il a brûlé en descendant dans le cou, les oreilles, sur le dos, les bras et le haut de la poitrine. Elle s'est recroquevillée ainsi comme une étrange momie, probablement pendant qu'on la transportait, et elle est toujours dans le même état, plus de quinze jours après. Sans compter l'accouchement dans un semi-coma, et cet enfant qui a disparu. L'assistante sociale a dû le déposer comme un pauvre petit paquet dans un orphelinat quelconque, mais où ? Et je connais trop l'avenir qui attend ces enfants illégitimes. Il est sans espoir.

Mon plan est fou. Je veux dans un premier temps la faire transporter à Bethléem, ville sous contrôle israélien à l'époque, mais accessible pour moi comme pour elle. Pas question de la conduire dans une autre ville. Je sais pertinemment que, là-bas, ils ne disposent pas des moyens nécessaires aux grands brûlés. Ce ne peut être qu'une étape. Mais dans un deuxième temps, à Bethléem, on pourra lui dispenser le minimum de soins de base. Troisième phase du plan : le départ pour l'Europe, avec l'accord de l'organisation Terre des hommes, que je n'ai pas encore demandé.

Sans compter l'enfant, que j'ai bien l'intention d'essayer de retrouver entre-temps.

Lorsque mon jeune docteur remonte dans ma petite voiture pour une deuxième visite chez les parents, il est toujours aussi inquiet. Même accueil, toujours dehors sous l'arbre, même conversation banale de départ, mais cette fois je parle des enfants que nous ne voyons jamais.

« Vous avez beaucoup d'enfants ? Où sont-ils ?

– Ils sont aux champs. On a une fille mariée, elle a deux garçons, et un fils marié, il a eu deux garçons aussi. »

C'est bien les garçons. Il faut féliciter le chef de famille. Et le plaindre aussi.

« Je sais que vous avez une fille qui vous cause beaucoup d'ennuis.

– *Ya haram !* C'est terrible ce qui nous arrive ! Quelle misère !

– C'est vraiment dommage pour vous.

– Oui, c'est dommage. *Allah Karim !* Mais Dieu est grand.

– Au village, c'est pénible d'avoir des problèmes aussi difficiles...

– Oui, c'est très dur pour nous. »

La mère ne parle pas. Toujours debout, hiératique.

« Bon, elle va bientôt mourir de toute façon. Elle est très mal.

– Oui. *Allah Karim !* »

Et mon docteur ajoute, très professionnel :

« Oui, elle est vraiment très mal. »

Il a compris mon intérêt dans ce marchandage étrange sur la mort espérée d'une jeune fille. Il m'aide, en rajoute avec des mimiques très explicites sur la mort inévitable de Souad, alors que nous espérons le contraire... Il prend le relais. Le père lui confie enfin plus clairement le nœud de tous leurs soucis :

« J'espère qu'on va pouvoir rester dans le village.

– Oui, bien sûr. De toute façon, elle va mourir.

– Si Dieu le veut. C'est notre fatalité. On n'y peut rien. »

Mais il ne dit pas ce qui est arrivé, rien du tout. Alors, à un moment, j'avance un pion sur l'échiquier :

« Mais c'est quand même dommage pour vous qu'elle meure ici ? Vous allez faire l'enterrement comment ? Où ?

– On va faire l'enterrement ici, dans le jardin.

– Peut-être que, si je la prenais avec moi, elle pourrait mourir ailleurs et vous n'auriez pas de problèmes comme ça. »

Pour les parents, ça ne veut manifestement rien dire que je la prenne avec moi pour mourir ailleurs. Ils n'ont jamais entendu parler d'une chose pareille de leur vie. Hassan s'en rend compte, il insiste un peu :

« Au fond, ça ferait moins de problèmes pour vous, et pour le village...

– Oui, mais nous on l'enterre comme ça, si Dieu veut, et on dit à tout le monde qu'on l'a enterrée et c'est tout.

– Je ne sais pas, réfléchissez. Peut-être que je peux l'emmener mourir ailleurs. Moi je peux faire ça si c'est bien pour vous... »

C'est affreux, mais je ne peux tabler que sur la mort dans ce jeu morbide ! Faire revivre Souad et parler de soins, pour eux, ce serait l'horreur. Alors ils demandent à en discuter entre eux. Une façon de nous faire comprendre qu'il est temps de partir. Ce que nous faisons après les salutations d'usage, en promettant de revenir. Que penser de notre tentative à ce moment-là ? Avons-nous correctement négocié ? D'un côté, Souad disparaît, de l'autre, sa famille retrouve l'honneur dans son village...

Dieu est grand, comme dit le père. Il faut patienter.

Pendant ce temps-là, je vais à l'hôpital tous les jours, pour essayer de la faire soigner tout de même un minimum. Ma présence les oblige à faire quelques efforts. Désinfecter un peu plus par exemple. Mais sans antidouleur et sans produits spécifiques, la peau de la pauvre Souad demeure une plaie immense, insupportable pour elle et difficile à voir pour les autres. Souvent je songe, comme dans un rêve de conte de fées, aux hôpitaux de mon pays, de France, de Navarre ou d'ailleurs, où l'on soigne les grands brûlés avec tant de précaution et d'acharnement pour leur rendre la douleur supportable...

Et nous retournons à la négociation, toujours tous les deux, mon courageux médecin et moi. Il faut battre le fer, proposer le marché avec autant de diplomatie que de certitude :

« Ce qui ne serait pas bien, c'est qu'elle meure dans le pays. Même à l'hôpital, là-bas, pour vous, ça ne va pas. Mais on peut l'emmener loin, dans un autre pays. Et comme ça, c'est fini, vous pouvez dire qu'elle est morte à tout le village. Elle sera morte dans un autre pays et plus jamais vous n'entendrez parler d'elle. »

La conversation est plus que tendue à présent. Sans les papiers, tout accord avec eux ne me sert à rien. J'y suis presque. Je ne demande rien d'autre, ni qui a fait ça ni qui est le père de l'enfant. Ces histoires-là ne comptent pas du tout dans la négociation et leur évocation sallirait leur honneur plus encore. Ce qui m'intéresse, c'est de les convaincre que leur fille va mourir, mais ailleurs. Et je passe pour une folle, une étrangère excentrique, dont ils ont pourtant intérêt à se servir, finalement.

Je sens que l'idée fait son chemin. S'ils disent oui, dès que nous aurons le dos tourné, ils pourront déclarer la mort de leur fille à tout le village, sans autre détail, et sans enterrement dans le jardin. Ils pourront raconter ce qu'ils voudront, et même qu'ils ont vengé leur honneur à leur manière. C'est fou, quand on y pense avec un raisonnement d'Occidentale... c'est réellement fou de parvenir à ses fins dans de telles conditions. Ce marchandage ne les dérange pas, moralement. Ici la morale est particulière, elle s'exerce contre les filles et les femmes, en voulant leur imposer une loi qui n'a d'intérêt que pour les hommes du clan. Cette mère elle-même l'accepte sans broncher en voulant la mort et la disparition de sa propre fille. Elle ne peut faire autrement, et j'arrive même à la plaindre intérieurement. Sinon je ne m'embarrasse pas d'états d'âme. Dans tous les pays où j'exerce, que ce soit en Afrique, en Inde, en Jordanie ou en Cisjordanie, je dois m'adapter à la culture et respecter les coutumes ancestrales. L'unique but est d'apporter de l'aide à celui ou celle qui en est victime. Mais c'est la première fois de ma vie que je négocie une vie de cette façon. Ils cèdent.

Le père me fait promettre, et la mère aussi, que plus jamais ils ne la verront ! Plus JAMAIS ?

« Non ! Plus jamais ! JAMAIS ! »

Je promets. Mais, pour tenir cette promesse et emmener Souad à l'étranger, j'ai besoin qu'elle ait des papiers.

« Je vais vous demander quelque chose... C'est peut-être un peu difficile à faire, mais je serai avec vous, et je vais vous aider. Il faut qu'on aille ensemble au bureau qui délivre les papiers d'identité et de voyage. »

Ce nouvel obstacle les inquiète immédiatement. Tout contact avec la population israélienne, et surtout avec l'administration, est un problème pour eux.

« Il faut que je vous emmène en voiture jusqu'à Jérusalem, vous et madame, pour que vous signiez.

– Mais on ne sait pas écrire !

– Ça ne fait rien, l'empreinte du doigt suffit...

– Bon, on viendra avec vous. »

Cette fois, c'est l'administration que je dois préparer à l'affaire avant de revenir chercher les parents. Je connais heureusement du monde au bureau des visas de Jérusalem. Là, je peux m'expliquer et les fonctionnaires savent ce que je fais pour les enfants. D'ailleurs, c'est une enfant que je sauve. Souad m'a dit avoir dix-sept ans, mais qu'importe, c'est encore une enfant. J'explique aux employés Israéliens que je vais leur amener les parents d'une Palestinienne gravement malade, qu'il ne faut pas les faire attendre trois heures, au risque qu'ils repartent sans rien signer. Ce sont des gens illettrés, qui ont besoin de ma présence pour les formalités. Je vais donc les amener munis d'un extrait de naissance, s'ils en ont un, et l'administration n'aura qu'à confirmer l'âge de leur fille sur le laissez-passer. J'ajoute, et je suis culottée une fois de plus, que cette fille va partir avec un enfant. Alors que je ne sais toujours pas où est ce bébé, et comment le retrouver.

Mais, pour le moment, ce n'est pas la question : une chose après l'autre. Mon seul problème est d'activer les parents, et que la petite Souad soit un peu soignée.

Évidemment, l'employé israélien me demande :

« Mais tu connais le nom du père de l'enfant ?

– Non, je ne connais pas le nom.

– Est-ce qu'il faut écrire *illégitime* ? »

Cette qualification sur un papier officiel m'énerve.

« Non, on n'écrit pas illégitime ! Sa mère va à l'étranger et vos histoires d'illégitime, ça ne marche pas là-bas ! »

Ce laissez-passer pour Souad et l'enfant n'est pas un passeport, juste un permis de sortir du territoire palestinien à destination d'un pays étranger. Souad ne reviendra jamais plus dans ce territoire. C'est-à-dire que virtuellement elle n'aura plus d'existence dans son pays, éliminée de la carte, la petite brûlée. Un fantôme.

« Vous me faites deux laissez-passer, un pour la mère et un pour l'enfant.

– Il est où, cet enfant ?
– Je vais le retrouver. »
Le temps passe, mais au bout d'une heure l'administration israélienne me donne le feu vert. Et dès le lendemain je vais chercher les parents, seule cette fois, comme une grande. Ils montent en voiture en silence, deux masques, et nous voilà à Jérusalem, dans le bureau des visas. Un territoire ennemi pour ces gens, où d'habitude on les traite comme des moins que rien.
J'attends, assise à côté d'eux. Vis-à-vis des Israéliens, je suis en quelque sorte la garantie que ces gens-là ne viennent pas avec une bombe. On me connaît très bien depuis que je travaille dans les milieux palestiniens et israéliens. Tout à coup, l'employée qui établit les papiers me fait signe de m'approcher :
« Elle a dix-neuf ans sur le papier de naissance, cette fille ! Tu m'as dit dix-sept !
– On ne va pas discuter là-dessus, de toute façon, tu t'en fiches qu'elle ait dix-sept ou dix-neuf ans...
– Pourquoi tu ne l'as pas amenée ? Elle aussi, elle doit signer !
– Je ne l'ai pas amenée parce qu'elle est mourante dans un hôpital.
– Et l'enfant ?
– Écoute, laisse tomber. Vous me donnez un laissez-passer pour leur fille, devant ses parents, ils signent et pour celui de l'enfant, je vous apporterai tous les détails et reviendrai le chercher. »
Lorsque la sécurité du territoire n'est pas mise en cause, les fonctionnaires israéliens sont coopératifs. Lors de mes débuts dans l'humanitaire, lorsque mon travail me conduisait dans les territoires occupés, ils m'ont d'abord interpellée. Ensuite, il a fallu que je

me débrouille avec eux. Lorsqu'ils ont compris que m'occupais aussi d'enfants israéliens fortement handicapés du fait de mariages consanguins dans certaines communautés, les choses se sont améliorées. Malheureusement, certains de leurs enfants issus de familles ultra-religieuses, où on se marie entre cousins, naissent mongoliens ou gravement handicapés. C'est d'ailleurs la même chose dans certaines familles arabes ultra-religieuses. Mon travail est essentiellement axé sur ce problème à l'époque, dans les deux communautés. Il me permet d'évoluer dans un certain climat de confiance, avec l'administration notamment.

Le bureau des laissez-passer est situé hors les murs, du côté de la vieille ville de Jérusalem. Me voilà partie avec le précieux document, à pied, avec les parents toujours muets, au milieu de soldats israéliens armés jusqu'aux dents, pour remonter en voiture. Tels que je les ai pris au village, je vais les ramener. Le petit homme roux aux yeux bleus en keffieh blanc avec sa canne et sa femme toute en noir, du regard au bas de sa robe.

Une heure de trajet au moins, entre Jérusalem et le village. La première fois, j'avais très peur de les rencontrer malgré mon air de fonceuse. Maintenant, je ne les crains plus, je ne les juge pas, je pense seulement : « Pauvres gens. » Nous sommes tous l'objet d'une fatalité qui nous est propre.

Ils m'ont suivie à l'aller comme au retour sans dire un seul mot. Ils avaient un peu peur qu'on leur fasse des ennuis, là-bas, chez les Israéliens. Je leur avais dit qu'ils ne craignaient rien, et que tout se passerait bien. À part quelques mots essentiels, je n'ai pas tenu de véritable conversation avec eux. Je n'ai pas vu le reste de la famille, ni l'intérieur de leur maison. J'avais du mal à croire, en les observant, qu'ils aient voulu tuer leur fille. Et pourtant, même si le beau-frère était l'exécutant, c'étaient eux qui l'avaient décidé... J'ai ressenti la même chose plus tard après cette première expérience, chez d'autres parents que j'ai rencontrés dans les mêmes circonstances. Je n'arrivais pas à les considérer comme des assassins. Ceux-là ne pleuraient pas, mais j'en ai vu pleurer, parce qu'ils sont eux-mêmes prisonniers de cette coutume abominable : le crime d'honneur.

Devant leur maison toujours close sur le secret et le malheur, ils descendent de voiture, silencieux, et je m'en vais de même. Nous ne nous reverrons pas.

Il me reste beaucoup à faire. D'abord, prendre contact avec mon « patron ».

Edmond Kaiser est le fondateur de Terre des hommes. Je ne lui ai pas encore parlé de ma folle tentative. Il me fallait avant « finaliser », si j'ose dire, le côté administratif. Je contacte donc Edmond Kaiser qui, lui, n'a jamais entendu parler de ce genre d'histoire à cette époque. Je lui résume la situation :

« Voilà, j'ai une fille qui a été brûlée, et qui a un bébé. J'ai l'intention de l'amener chez nous, mais je ne sais pas encore où est le bébé. Es-tu d'accord pour tout ?

– Évidemment que je suis d'accord. »

C'était ça, Edmond Kaiser. Un homme formidable, l'intuition de l'urgence irrévocable. La question posée, la réponse ne se faisait pas attendre. On pouvait lui parler aussi simplement.

J'ai hâte de sortir la petite Souad de cette salle de relégation où elle souffre comme un chien, mais où nous avons la chance, elle et moi, d'avoir un soutien énorme en la personne du docteur Hassan. Sans sa bonté et son courage, Dieu seul sait si j'aurais pu réussir.

Nous avons décidé tous les deux de la faire sortir de nuit, sur un brancard, discrètement. Je me suis mise d'accord avec le directeur de l'hôpital pour que personne ne la voie. Je ne sais pas s'ils ont prétendu qu'elle était morte dans la nuit, mais c'est probable.

Je l'allonge à l'arrière, il est trois ou quatre heures du matin, et nous voilà parties vers un autre hôpital. À cette époque, il n'y a pas encore les nombreux barrages installés lors de l'Intifada. Le voyage se passe sans encombre, et j'arrive au petit matin à l'hôpital, où tout est déjà prévu. Le médecin-chef est au courant, et j'ai demandé qu'on ne lui pose pas de questions sur sa famille, son village ou ses parents.

L'établissement est mieux équipé, et surtout plus propre. Il reçoit notamment de l'aide de l'ordre de Malte. On installe Souad dans une chambre. Je viendrais la voir tous les jours, en attendant d'obtenir les visas pour l'Europe et, surtout, de retrouver l'enfant.

Elle ne me parle pas de lui. Il semble que de le savoir vivant quelque part lui suffise, et cette indifférence apparente est parfaitement compréhensible. Souffrance, humiliation, angoisse, dépression : elle est incapable psychologiquement et physiquement de s'accepter comme une mère. Il faut savoir que les conditions dans lesquelles est accueilli un enfant illégitime, issu d'une mère jugée fautive, donc brûlée pour l'honneur, sont telles qu'il vaut mieux le séparer de la communauté. Si je pouvais laisser ce bébé vivre dans de bonnes conditions dans son propre pays, je m'y résoudrais. Pour l'enfant comme pour la mère, ce serait la solution la moins pénible. Hélas, elle est impossible. Cet enfant vivra toute sa vie la honte présumée de sa mère, au fond d'un orphelinat où il sera méprisé. Je me dois de le sortir de là, comme Souad.

« Quand est-ce qu'on part ? »

Elle ne pensait toujours qu'à partir et me le demandait à chaque visite.

« Quand on aura les visas. On les aura, ne t'inquiète pas. »

Elle se plaint des infirmières qui arrachent ses pansements sans précaution, elle hurle chaque fois qu'on l'approche, et se sent maltraitée. Je me doute que les conditions de soins, quoique plus hygiéniques, ne sont pas idéales. Mais comment faire autrement tant que les visas ne sont pas prêts ? Et ce genre de papier n'arrive jamais assez vite.

Et pendant ce temps-là, je fais des démarches pour retrouver le petit en faisant jouer mes amitiés. L'amie qui m'a signalé le cas de Souad prend contact, un peu réticente, avec une assistante sociale. Laquelle se montre encore plus réticente. Le rapport de mon amie est explicite :

« Elle m'a répondu qu'elle sait où il est, que c'est un garçon, mais qu'on ne peut pas le sortir comme ça, que c'est impossible. Elle trouve que tu as tort de vouloir t'encombrer de l'enfant. Et c'est vrai qu'il sera une charge supplémentaire pour toi, et ensuite pour la mère ! »

Je vais donc demander son avis à Souad :

« Comment s'appelle ton fils ?

– Il s'appelle Marouan.

– C'est toi qui as donné ce nom ?

– Oui, c'est moi. Le docteur m'a demandé. »

Elle a des moments d'amnésie et d'autres de lucidité dans lesquels j'ai parfois du mal à me retrouver. Elle a oublié les circonstances terribles de son accouchement, oublié qu'on lui avait dit que c'était un fils, et ne m'avait jamais parlé du nom. Et tout à coup, sur une question simple, la réponse est directe. Je continue dans le même sens :

« Qu'est-ce que tu en penses ? Moi, je crois qu'on ne part pas sans Marouan. Je vais aller le chercher, on ne peut pas le laisser ici... »

Elle regarde en dessous, péniblement à cause de son menton toujours collé au buste.

« Tu crois ?

– Oui, je crois. Toi, tu vas sortir, tu vas être sauvée, mais je sais dans quelles conditions va vivre Marouan, ce sera un enfer pour lui. »

Il sera toujours le fils de charmuta. Le fils de pute. Je ne le dis pas, mais elle doit le savoir. L'intonation de ce « tu crois » me suffit. Elle est positive.

Je recherche donc l'enfant. Je visite d'abord un ou deux orphelinats, en essayant de repérer un bébé qui doit avoir environ deux mois maintenant, et se prénomme Marouan. Mais je ne le vois pas, et je ne suis pas la mieux placée pour retrouver cet enfant. L'assistante sociale n'aime pas les filles comme Souad. Elle est palestinienne, de bonne famille, ce qui n'empêche pas les traditions. Mais, sans elle, je n'y arriverai pas. Alors, à force d'insistance, et surtout pour faire plaisir à mon amie, elle m'indique le centre où il a été placé. À l'époque, c'est plus un trou à rats qu'un orphelinat. Et l'arracher de là est très compliqué. Il est prisonnier du système qui l'a déposé là.

J'entreprends des démarches, dont les méandres aboutissent finalement une quinzaine de jours plus tard. Je rencontre des intermédiaires de tous poils. Ceux qui seraient partisans de faire subir à l'enfant le même sort que la mère, ceux qui sont plutôt pour se débarrasser d'un problème et d'une bouche à nourrir. Certains de ces enfants meurent sans explication. Ceux, enfin, qui ont du cœur et comprennent mon obstination. Au bout du compte, je me retrouve avec un bébé de deux mois dans les bras, une tête minuscule, un peu en poire, avec une petite bosse sur le front, résultat de sa naissance avant terme. Mais en bonne santé, ce qui est un exploit de sa part. Il n'a connu ni couveuse ni tendresse. Il a seulement la trace d'une petite jaunisse classique des nouveau-nés. J'avais peur qu'il ait des problèmes graves. Sa mère a flambé comme une torche avec son enfant en elle et l'a mis au monde dans des conditions cauchemardesques. Il est maigre, mais ça va. Il me regarde avec des yeux ronds, sans pleurer, tranquille.

Qui suis-je ? Zorro ? Je suis bête, il ne sait pas qui est Zorro...

J'ai l'habitude des enfants souffrant de malnutrition. Nous en avons soixante à cette époque, dans une institution. Mais je l'emmène chez moi, où j'ai tout ce qu'il faut pour son cas. J'ai déjà fait voyager des enfants atteints de maladie grave afin de les faire opérer en Europe. J'installe Marouan pour la nuit dans un panier, langé, habillé, nourri. J'ai les visas. J'ai tout. Edmond Kaiser nous attend à Lausanne, direction le CHU, secteur des grands brûlés.

Demain, c'est le grand départ. Transport de la mère sur un brancard pour prendre l'avion à Tel-Aviv. Souad se laisse faire comme une petite fille. Elle souffre épouvantablement, mais, quand je lui demande : « Ça va bien ? Tu n'as pas trop mal ? », elle me répond simplement : « Si, j'ai mal. » Sans plus.

« Si je te retournes un peu, ça va mieux ?

– Oui, ça va mieux. Merci. »

Toujours « merci ». Merci pour la chaise roulante à l'aéroport, un engin qu'elle n'a jamais vu de sa vie. Merci pour le café avec une paille. Merci pour l'installation dans un coin, le temps de faire valider les billets. Comme je porte le bébé et qu'il me gêne pour les formalités, toujours longues, je dis à Souad : « Écoute, je vais poser le petit sur toi, tu ne bouges pas... »

Elle a un regard un peu effrayé. Ses brûlures ne lui permettent pas de le prendre dans ses bras. Elle parvient tout juste à les rapprocher de chaque côté du corps du bébé, raide d'angoisse. Et elle a un mouvement de crainte, quand je lui confie l'enfant. C'est dur pour elle.

« Tu restes comme ça. Je reviens. »

Je suis bien obligée de la mettre à contribution, je ne peux pas pousser la chaise roulante, tenir le bébé, et me présenter à tous les comptoirs de l'aéroport où je dois montrer mon passeport, les visas, les laissez-passer, et m'expliquer sur mon étrange équipage.

Et c'est un cauchemar, parce que les voyageurs qui passent à côté d'elle font comme font tous les gens devant un bébé : « Oh ! qu'il est beau, ce bébé ! Ah ! qu'il est mignon ! »

Ils ne regardent même pas la mère, complètement défigurée, tête baissée sur cet enfant-là. Elle a des pansements sous sa chemise d'hôpital – il était trop difficile de l'habiller –, une de mes vestes en laine et une couverture par-dessus. Elle ne peut pas redresser la tête pour dire « merci » aux passants, et je sais à quel point ce bébé qu'ils trouvent si mignon la panique.

En m'éloignant d'elle pour les formalités, je me dis que la scène est surréaliste. Elle est là, brûlée, le bébé dans les bras. Elle a vécu l'enfer et lui aussi, et les gens passent avec le sourire : « Oh ! le beau bébé. »

Au moment d'embarquer, un autre problème se pose : celui de la faire monter dans l'avion. J'ai déjà monté une chaise roulante sur un escalier d'avion, mais là je suis vraiment embarrassée. Les Israéliens ont une technique. Ils amènent une grue immense et Souad se retrouve suspendue dans une sorte de cabine au bout de cette grue. La cabine monte lentement, arrive au niveau de la porte de l'avion, et deux hommes la récupèrent.

J'ai réservé trois sièges à l'avant pour pouvoir l'allonger et les hôtesses ont disposé un rideau pour la soustraire aux regards des autres passagers. Marouan est dans un berceau de la compagnie d'aviation. Vol direct pour Lausanne.

Souad ne se plaint pas. J'essaie de l'aider à changer de position de temps en temps, mais rien ne la soulage jamais. Les cachets analgésiques ne servent pas à grand-chose. Elle est un peu hagarde, ensommeillée, mais confiante. Elle attend. Je ne peux pas la faire manger, juste lui donner à boire avec une paille. Et je m'occupe de changer le bébé qu'elle évite de regarder.

Elle souffre de tant de choses si compliquées. Elle ignore ce que veut dire Suisse, ce pays ou je l'emmène pour y être soignée. Elle n'a jamais vu d'avion, jamais de grue, ni autant de gens différents dans l'agitation d'un aéroport international. Je ramène avec moi une sorte de petite sauvageonne illettrée qui n'a pas fini de découvrir des choses, peut-être terrifiantes pour elle. Et je sais aussi que les souffrances sont loin d'être finies. Il faudra bien longtemps avant que cette survie redevienne une vie supportable. Je ne sais même pas si on pourra l'opérer, et si des greffes sont encore possibles. Ensuite, ce sera l'intégration au monde occidental, l'apprentissage d'une langue, et le suivi de tout le reste. Lorsqu'on « sort » une victime, nous savons, comme le dit Edmond Kaiser, que c'est une responsabilité pour la vie.

La tête de Souad est à côté du hublot. Je ne crois pas qu'elle soit capable, dans son état, de penser à tout ce qui l'attend. Elle espère, sans savoir exactement quoi.

« Tu vois, ça ? Ça s'appelle des nuages. »

Elle dort. Certains passagers se plaignent de l'odeur, malgré les rideaux tirés autour d'elle. Depuis le jour de ma première visite à Souad, dans cette salle de relégation et de mort, deux mois se sont écoulés. Chaque centimètre de peau sur son buste et ses bras est décomposé en une vaste plaie purulente. Les voyageurs peuvent se pincer le nez et adresser à l'hôtesse des grimaces de dégoût, voilà qui m'est bien égal. Je ramène une femme brûlée et son petit, un jour ils sauront pourquoi. Ils sauront aussi qu'il y en a d'autres, mortes déjà ou qui mourront, dans tous les pays où la loi des hommes a institué le crime d'honneur. En Cisjordanie, mais aussi en Jordanie, en Turquie, en Iran, en Irak, au Yémen, en Inde, au Pakistan et même en Israël, et même en Europe. Ils sauront que les rares rescapées sont obligées de se cacher à vie, pour que leurs assassins ne les retrouvent pas, n'importe où dans le monde. Parce qu'ils y parviennent encore. Ils sauront que la plupart des associations humanitaires ne les prennent pas en charge parce que ces femmes sont des cas sociaux individuels, « culturels » ! Et que dans certains pays des lois protègent leurs assassins. Leur cas ne relève pas des grandes campagnes engagées contre la famine et la guerre, l'aide aux réfugiés, ou les grandes épidémies. Je peux le comprendre et l'admettre. Chacun son rôle dans ce triste chantier mondial. Et l'expérience que je viens de vivre démontre la difficulté et le temps qu'il faut pour s'implanter discrètement dans un pays, repérer les rescapées des crimes d'honneur et les aider, à ses propres risques et périls.

Souad est mon premier « sauvetage » de ce genre, mais le travail n'est pas fini. L'empêcher de mourir est une chose, la faire revivre en est une autre.

La Suisse

Couchée dans l'avion, j'ai pu regarder son joli petit visage long et noiraud avec son bonnet blanc sur la tête. J'ai perdu la notion du temps et j'ai l'impression qu'il n'a que trois semaines, alors que Marouan a déjà deux mois. Jacqueline m'a dit que nous étions arrivés à Genève un 20 décembre.

J'ai eu peur lorsqu'elle l'a posé sur moi. Mes bras ne pouvaient pas le tenir, et j'étais dans une telle confusion, honte et souffrance mêlées, que je ne réalisais pas ce qui se passait.

Je dormais beaucoup. Je ne me souviens même pas de la descente de l'avion ni de l'ambulance qui m'a emportée à l'hôpital. Je n'ai compris où j'étais que le lendemain. De ce jour extraordinaire, je n'ai retenu finalement que le visage de Marouan, et les nuages. Je me demandais ce qu'étaient ces drôles de choses blanches de l'autre côté de la fenêtre, et Jacqueline m'a expliqué qu'on était dans le ciel. J'avais bien compris que nous allions en Suisse, mais à l'époque ce mot ne veut rien dire pour moi. Je confonds Suisse et juif, parce que tout ce qui est extérieur à mon village, c'est-à-dire au nord, est un pays ennemi.

Je n'ai alors aucune idée du monde, des pays étrangers, de leurs noms différents. Je ne connais même pas mon propre pays. J'ai grandi en ne comprenant qu'une chose : il y a mon territoire et le reste du monde. L'ennemi, disait mon père, et on y mange du porc !

J'allais donc vivre en pays ennemi, mais en toute confiance puisque « la dame » était là.

Les gens autour de moi, dans cet hôpital, ignoraient mon histoire. Jacqueline et Edmond Kaiser n'avaient rien dit. J'étais une grande brûlée, la seule chose qui importait dans ce service.

Ils m'ont prise en charge dès le lendemain pour une première opération d'urgence qui a consisté à décoller mon menton, pour me redresser la tête. La chair était à vif, je pesais trente-quatre kilos de brûlures et d'os, et plus de peau. Chaque fois que je voyais arriver l'infirmière avec son chariot de soins, je pleurais d'avance. Pourtant on me donnait des calmants, et l'infirmière était très douce. Elle coupait la peau morte, délicatement, en la prenant avec une pince. Elle me donnait des antibiotiques, on m'enduisait de pommade. Ce n'était plus l'horreur des douches forcées, des gazes arrachées sans précaution comme je l'avais subie à l'hôpital dans mon pays. Ensuite, ils ont réussi à détendre mes bras pour que je puisse les bouger. Au début ils pendaient de chaque côté, bloqués et raides comme les bras d'une poupée.

J'ai commencé à me tenir debout, à marcher dans les couloirs, à me servir de mes mains, et à découvrir ce nouveau monde dont je ne parlais pas la langue. Comme je ne savais ni lire ni écrire, même en arabe, je me réfugiais dans un silence prudent, jusqu'à ce que j'aie enregistré quelques mots de base.

Je ne pouvais m'exprimer qu'avec Jacqueline et Hoda qui parlaient toutes les deux l'arabe. Edmond Kaiser était merveilleux. Je l'admirais comme jamais je n'ai admiré un homme de ma vie. C'était mon *vrai* père, je m'en rends compte maintenant, celui qui avait décidé de ma vie, qui m'avait envoyé Jacqueline.

Ce qui m'a beaucoup étonnée, quand je suis sortie de ma chambre pour aller voir Marouan à la pouponnière, c'est la liberté des filles. Deux infirmières m'accompagnaient. Elles étaient maquillées, coiffées, habillées court, et elles discutaient avec les hommes. Je me disais : « Elles parlent avec les hommes, elles vont mourir ! » J'étais tellement choquée que je l'ai dit dès que j'ai pu à Jacqueline et à Edmond Kaiser :

« Regarde la fille là-bas, elle discute avec un homme ! Mais ils vont la tuer. »

J'ai fait le geste avec la main de lui couper la tête.

« Mais non, ils sont en Suisse, ce n'est pas la même chose que chez toi, on ne va pas lui couper la tête, c'est tout à fait normal.

– Mais regarde, on voit ses jambes, c'est pas normal de voir ses jambes.

– Mais si, c'est normal, elle a mis une blouse pour le travail.

– Et les yeux. C'est grave de maquiller les yeux ?

– Mais non, ici les femmes se maquillent, elles sortent, elles ont le droit d'avoir un ami. Mais pas chez toi. Ici, tu n'es pas chez toi, tu es en Suisse. »

Je n'arrivais pas à réaliser, à me le mettre dans le crâne. Je crois que je cassais la tête d'Edmond Kaiser à lui poser toujours les mêmes questions. La première fois j'avais dit : « Cette fille, je ne la reverrai plus. Parce qu'elle va mourir. »

Mais le lendemain j'ai vu qu'elle était toujours là, et j'étais contente pour elle. Je me disais intérieurement : « Dieu merci elle est vivante. Elle est habillée de la même blouse blanche, on voit ses jambes, donc ils ont raison, on ne meurt pas pour ça. » Je croyais que dans tous les pays, c'était la même chose que chez moi. Une fille qui parle avec un homme, si on la voit, elle est morte.

J'étais choquée aussi de la manière dont elles marchaient, ces filles. Elles étaient souriantes, à l'aise, et marchaient comme des hommes... et je voyais beaucoup de blondes :

« Pourquoi elles sont blondes ? Pourquoi elles ne sont pas noiraudes comme moi ? Parce qu'il y a moins de soleil ? Quand il fera plus chaud, elles vont devenir toutes noires, et elles auront les cheveux frisés ? Oh ! elle a mis des manches courtes. Regarde, regarde là-bas, les deux femmes qui rient ! Chez nous, jamais une femme ne rit avec une autre, jamais une femme ne met de manches courtes... Et elles ont des chaussures !

– Mais tu n'as pas encore tout vu ! »

Je me souviens de la première fois que j'ai pu visiter la ville, seule avec Edmond Kaiser. Jacqueline était déjà repartie en mission. J'ai vu des femmes assises au restaurant, fumant leur cigarette, les bras nus avec une belle peau blanche. Je ne voyais que les blondes à peau blanche, elles me fascinaient. Je me demandais d'où elles venaient. Chez nous, les blondes sont si rares que les hommes les apprécient beaucoup, donc je pensais qu'elles devaient être en danger à cause de ça. Edmond Kaiser m'a donné mon premier cours de géographie.

« Elles sont nées blanches, d'autres naissent d'une autre couleur dans d'autres pays. Mais ici, en Europe, il y a aussi des noires, des blanches, des rousses avec des taches sur le visage...

– Des taches comme moi ?

– Non, pas brûlé comme toi. Des toutes petites à cause du soleil sur leur peau blanche ! »

Je regardais, je cherchais tout le temps une femme comme moi, et je disais à Edmond Kaiser : « Dieu me pardonne, mais j'aimerais bien rencontrer une autre femme brûlée, je n'en ai jamais vu. Pourquoi je suis la seule femme brûlée ? »

Encore aujourd'hui, j'ai gardé ce sentiment d'être la seule femme brûlée de la terre. Si j'avais été victime d'un accident, ce ne serait pas la même chose. C'est le destin, et on ne peut en vouloir au destin.

Je faisais des cauchemars la nuit, et le visage de mon beau-frère revenait. Je le sentais tourner autour de moi, je l'entendais encore me dire : « Je vais m'occuper de toi... »

Et je courais avec le feu sur moi. J'y pensais aussi dans la journée, brusquement, et cette envie de mourir me reprenait, pour ne plus souffrir.

Toute ma vie je me sentirai brûlée, autrement. Toute ma vie je devrai me cacher, porter des manches longues, moi qui rêve de manches courtes comme les autres femmes, porter des chemises à col fermé, moi qui rêve de décolletés comme les autres femmes. Elles ont cette liberté-là. Moi je suis prisonnière dans ma peau, même si je marche libre, dans la même ville libre.

Alors, puisque j'en avais envie, j'ai demandé si je pourrais avoir un jour une dent en or, brillante. Et Edmond Kaiser m'a répondu en souriant : « Non, d'abord tu te soignes ; après, on parlera de tes dents. »

Chez nous, une dent en or c'est quelque chose de merveilleux. Tout ce qui brille est merveilleux. Mais j'ai dû le surprendre avec cette demande bizarre. Je n'avais rien à moi, j'étais couchée en permanence, on me promenait seulement de temps en temps entre les soins, je n'ai pas pu prendre de douche avant des semaines. Il n'était pas question de m'habiller avant d'être cicatrisée, j'étais en chemise, couverte de pansements. Je ne pouvais pas lire puisque je ne savais pas. Je ne pouvais pas parler, puisque les infirmières ne me comprenaient pas. Jacqueline leur avait laissé des fiches avec des mots en arabe phonétique et en français. Manger, dormir, toilettes, mal, pas mal, tout ce qui pouvait leur être utile pour me soigner. Une fois debout, je me tenais souvent près de la fenêtre. Je regardais la ville, les lumières, et la montagne au-dessus. C'était magnifique. Je contemplais ce spectacle la bouche ouverte. J'avais envie de sortir et d'aller me promener, je n'avais jamais vu ça, c'était si beau tout ce que je voyais.

Tous les matins, j'allais voir Marouan. J'étais obligée de sortir du bâtiment pour aller dans la maternité. J'avais froid. Je ne portais que cette chemise de l'hôpital, fermée dans le dos, un peignoir de l'hôpital et les chaussures de l'hôpital. Avec la brosse à dents de l'hôpital, c'étaient mes seules possessions. Alors je marchais très vite, comme chez moi, la tête baissée. L'infirmière me disait de faire doucement, mais je ne voulais pas. Je voulais faire la fière au-dehors parce que j'étais vivante, même si j'avais encore peur. Les infirmières et les médecins ne pouvaient rien contre ça. J'avais l'impression d'être l'unique femme brûlée dans le monde. J'étais humiliée, coupable, je ne pouvais pas me débarrasser de ça. Parfois, seule dans mon lit, je pensais que j'aurais dû mourir puisque je le méritais. Je me souviens, lorsque Jacqueline m'a transportée de l'hôpital jusqu'à l'avion pour Lausanne, d'avoir eu l'impression d'être un sac-poubelle. Elle aurait dû me jeter dans un coin et me laisser pourrir. Cette idée, la honte d'être ce que j'étais me revenaient régulièrement.

Alors j'ai commencé à oublier ma vie d'avant, je voulais être quelqu'un d'autre dans ce pays-là. Être comme ces femmes libres, m'intégrer, apprendre à y vivre le plus vite possible. Pendant des années, j'ai enterré le souvenir. Mon village, ma famille ne devaient plus exister dans ma tête. Mais il y avait Marouan, et les infirmières qui m'apprenaient à lui donner le biberon, à le changer, à être une mère quelques minutes par jour dans la mesure de mes moyens physiques. Et que mon fils me pardonne, mais j'avais du mal à faire ce qu'on me demandait. Inconsciemment j'étais coupable d'être sa mère. Qui pouvait le comprendre ? J'étais incapable de l'assumer, d'imaginer son avenir avec moi et mes brûlures. Comment lui dire, plus tard, que son père était un lâche ? Comment faire pour qu'il ne se sente pas coupable lui-même de ce que j'étais devenue ? Un corps mutilé, affreux à voir. Moi-même je n'arrivais plus à m'imaginer « avant ». Est-ce que j'étais jolie ? Est-ce que ma peau était douce ? Mes bras souples et ma poitrine séduisante ? Il y avait des miroirs, le regard des autres. Je m'y voyais laide et méprisable au-dedans comme au-dehors. Un sac-poubelle. J'étais encore en souffrance. On s'occupait de mon corps, on me redonnait des forces physiques, mais dans ma tête ça n'allait toujours pas. Non seulement je ne savais pas l'exprimer, mais le mot « dépression » m'était totalement inconnu. J'ai fait connaissance avec lui des années plus tard. Je pensais seulement que je ne devais pas me plaindre et j'ai enterré de cette façon vingt ans de ma vie si profondément que j'ai encore du mal à faire ressurgir des souvenirs. Je crois que mon cerveau ne pouvait pas faire autrement pour survivre.

Ensuite, durant de longs mois, il y a eut les greffes. Vingt-quatre opérations en tout. Mes jambes, qui n'avaient pas été brûlées, ont servi de peau de rechange. Entre chaque intervention, il fallait attendre la cicatrisation, et recommencer. Jusqu'à ce que je n'aie plus de peau à donner.

La peau greffée était encore fragile, il me fallait énormément de soins pour l'assouplir et l'hydrater. Et il m'en faut toujours.

Edmond Kaiser avait décidé de m'habiller. Il m'a emmenée dans un grand magasin. Si grand et si plein de chaussures et de vêtements que je ne savais pas où regarder. Pour les chaussures, je ne voulais pas de savates brodées comme chez moi. Je voulais aussi un vrai pantalon, pas un saroual. J'avais déjà vu des filles en porter quand j'allais au marché avec mon père, en camionnette, amener les fruits et les légumes. Elles avaient des pantalons à la mode, très larges en bas, on les appelait les pantalons « charleston ». C'étaient de mauvaises filles, et moi je n'avais pas le droit d'en mettre, là-bas.

Je n'ai pas eu mon « charleston ». Il m'a acheté une paire de chaussures noires à petits talons, un jean normal et un très joli pull-over. J'étais déçue. J'attendais ces nouveaux habits depuis neuf mois, et j'en rêvais. Mais j'ai souri et j'ai dit merci. J'avais pris l'habitude de sourire aux gens, sans cesse, ce qui les étonnait beaucoup, et de dire merci pour tout. Sourire, c'était ma réponse à leur gentillesse, mais aussi ma seule manière de communiquer pendant longtemps. Pour pleurer, je me cachais... une vieille habitude. Sourire, c'était le signe d'une autre vie. Ici les gens étaient souriants, même les hommes. Je voulais sourire le plus possible. Dire merci, c'était la moindre des choses. Personne ne m'avait jamais dit merci avant. Ni mon père, ni mon frère, ni personne quand je travaillais comme une esclave. J'avais l'habitude des coups, pas des remerciements.

Je trouvais donc que « merci » était une grande politesse, un grand respect. J'avais plaisir à le dire parce qu'on me le disait aussi. Merci pour le pansement, le cachet pour dormir, la crème pour ne pas me déchirer la peau, pour le repas, et surtout pour le chocolat. J'ai dévoré des tablettes entières de chocolat... C'est si bon, tellement réconfortant.

Alors j'ai dit merci à Edmond Kaiser pour le pantalon, les chaussures et le joli pull-over.

« Ici, tu es une femme libre, Souad, tu peux faire ce que tu as envie de faire, mais je te conseille de t'habiller simplement, avec des vêtements qui te conviennent et n'irritent pas la peau, et de ne pas te faire remarquer. »

Il avait raison. Dans ce pays qui m'accueillait avec tant de bonté, j'étais encore une petite bergère de Cisjordanie, inculte, sans éducation et sans famille, qui rêvait encore d'une dent en or !

J'ai quitté l'hôpital pour être placée dans un centre d'accueil à la fin de l'année de mon arrivée.

Les greffes se succédaient. Je retournais à l'hôpital pour y souffrir. Ça n'allait toujours pas très bien dans ma tête, mais je survivais. Je ne pouvais pas demander mieux. J'apprenais le français comme je pouvais, des expressions, des bouts de phrase que je répétais comme un perroquet, sans même savoir ce qu'était un perroquet !

Jacqueline m'a expliqué, plus tard, qu'à l'époque où elle m'a fait venir en Europe, mes hospitalisations répétées ne me permettaient pas de suivre des cours réguliers de français. Il était plus important de sauver ma peau que de m'envoyer à l'école. D'ailleurs, je n'y pensais pas. Dans mon village, il y avait deux filles qui prenaient le car pour aller à l'école en ville, et on se moquait d'elles. Moi aussi je me moquais d'elles, persuadée comme mes sœurs qu'elles ne trouveraient jamais de mari en allant à l'école !

Secrètement, ma plus grande honte était de ne pas avoir de mari. Je gardais la mentalité de mon village, c'était encore plus fort que moi. Et je me disais qu'aucun homme ne voudrait de moi. Or, pour une femme de mon pays, vivre sans homme c'est une punition à vie.

Dans la maison qui m'avait accueillie avec Marouan, tout le monde pensait que j'allais m'habituer à cette double punition d'être laide à regarder et de ne plus être désirée par un homme. On pensait aussi que j'allais pouvoir m'occuper de mon fils quand il me serait possible de travailler pour l'élever. Seule Jacqueline s'est rendu compte que j'en étais totalement incapable. D'abord parce qu'il me faudrait des années pour redevenir un être humain, et m'accepter telle que j'étais. Et pendant ces années, l'enfant allait grandir de travers. Ensuite parce que, malgré mes vingt ans, j'étais toujours une enfant. Je ne savais rien de la vie, des responsabilités, de l'indépendance.

C'est à ce moment-là que j'ai quitté la Suisse. Mes soins étaient terminés, je pouvais donc aller vivre ailleurs. Jacqueline a trouvé une famille d'accueil, quelque part en Europe. Des parents adoptifs que j'ai beaucoup aimés, et que j'appelais papa et maman, comme Marouan. Ce couple recevait beaucoup d'enfants envoyés par Terre des hommes. Certains restaient longtemps, d'autres étaient adoptés. La famille était toujours nombreuse. Il fallait s'occuper des plus petits, et j'aidais comme je pouvais. Un jour, « maman » m'a dit que je m'occupais trop de Marouan et pas assez des autres. Cette réflexion m'a étonnée car je n'avais pas le sentiment de me consacrer à mon fils. J'étais trop perdue pour cela. Mes seuls moments de solitude, je les passais à me promener le long d'une rivière avec Marouan dans sa poussette. J'avais besoin de marcher, d'être dehors. Je ne savais pas pourquoi j'avais tellement envie de marcher seule dans la campagne, l'habitude du troupeau peut-être. J'emportais comme avant un peu d'eau et quelque chose à manger, et je roulais la poussette, en marchant vite, droite et fière. J'étais double, je marchais vite comme chez moi, et droite et fière comme en Europe.

J'ai fait tout mon possible pour faire ce que maman disait, c'est-à-dire travailler davantage avec elle pour soigner les autres enfants. J'étais la plus grande, c'était normal. Mais une fois enfermée dans cette maison, je mourais d'envie de me sauver, d'aller voir les gens dehors, de parler, de danser, de rencontrer un homme pour voir si je pouvais encore être une femme.

Il me fallait cette preuve. J'étais folle de l'espérer, mais c'était plus fort que moi, je voulais essayer de vivre.

Marouan

Marouan avait cinq ans lorsque j'ai signé les papiers qui permettaient à notre famille d'accueil de l'adopter. J'avais fait quelques progrès dans leur langue – je ne savais toujours pas lire ni écrire, mais je savais ce que je faisais. Ce n'était pas un abandon. Mes nouveaux parents allaient élever ce petit garçon le mieux possible. En devenant leur fils, il allait bénéficier d'une véritable éducation, porter un nom qui le préserverait de tout mon passé. J'étais totalement incapable de lui apporter un équilibre, des soins, une scolarité normale. Bien des années plus tard, je me sens coupable d'avoir fait ce choix. Mais ces années m'ont permis de reconstruire une vie à laquelle je ne croyais plus, tout en l'espérant d'instinct. Je ne sais pas très bien expliquer ces choses sans fondre en larmes. Pendant toutes ces années, j'ai voulu me persuader que je ne souffrais pas de cette séparation. Mais on ne peut pas oublier son enfant, surtout cet enfant-là.

Je savais qu'il était heureux, et lui savait que j'existais. À cinq ans, il ne pouvait pas ignorer qu'il avait une vraie mère, puisque nous avions vécu ensemble chez ses parents adoptifs. Je ne savais pas comment on lui avait expliqué mon départ, mais la famille accueillait de nombreux enfants venus du monde entier, et je me souviens qu'à une certaine période nous étions dix-huit autour de la table. Pour la plupart des enfants perdus. Nous les appelions tous « papa » et « maman ». Ces gens formidables recevaient de Terre des hommes l'argent nécessaire à l'accueil provisoire de certains enfants et, lorsqu'ils repartaient, c'était toujours douloureux. J'en ai vu se jeter dans les bras de « maman » ou de « papa », ils ne voulaient plus les quitter. Mais cette maison n'était pour eux qu'un relais destiné à leur redonner la santé – pour la plupart ils demeuraient chez nos parents le temps d'une opération d'urgence, impossible à réaliser dans leur pays, et ils y retournaient ensuite. Ils avaient donc un vrai pays et une vraie famille quelque part dans le monde. Ceux qui ne pouvaient repartir nulle part, comme Marouan et moi, ont été adoptés. J'étais légalement morte en Cisjordanie, et Marouan n'y existait pas. Il était né ici, finalement, comme moi, un 20 décembre. Et ses parents étaient aussi les miens. C'était un peu étrange comme situation, et lorsque j'ai quitté ce foyer familial, au bout de presque quatre années de vie commune, je me considérais plutôt comme une grande sœur de Marouan. J'avais vingt-quatre ans. Je ne pouvais plus rester à leur charge. Il fallait que je travaille, que je gagne mon indépendance, que je devienne une adulte.

Si je n'avais pas choisi de le laisser là-bas et de le faire adopter, je n'aurais pas pu l'élever seule. J'étais une mère dépressive, je lui aurais lui fait porter la charge de ma souffrance, la haine de ma famille cisjordanienne. J'aurais dû lui raconter des choses que je voulais tellement oublier ! Je ne pouvais pas, c'était au-dessus de mes forces. Je n'avais pas d'argent, j'étais malade, réfugiée et contrainte de vivre sous une fausse identité le reste de ma vie parce que je venais d'un village où les hommes sont lâches et cruels. Et j'avais tout à apprendre. La seule solution pour moi était de me jeter dans ce nouveau pays et ses coutumes pour essayer de survivre. Marouan, lui, serait à l'abri de ma guerre personnelle. Je me disais : « Je suis là maintenant, il faut que je m'intègre dans ce pays, je n'ai pas le choix. » Je ne voulais pas que le pays m'intègre, c'était à moi de m'intégrer, à moi de me reconstruire. Mon fils parlait la langue, il avait des parents européens, des papiers, un avenir normal, tout ce que je n'avais pas eu, et que je n'avais toujours pas.

J'ai choisi de survivre et de le laisser vivre. Je savais pour y avoir vécu que cette famille serait bonne pour lui. D'ailleurs, lorsqu'on m'a parlé d'adoption, il était question d'autres parents possibles, mais j'ai refusé : « Non, pas une autre famille ! Marouan restera ici ou rien. Moi, j'ai vécu avec vous, je sais comment il sera élevé ici, je ne veux pas qu'on le mette dans une autre famille. »

« Papa » m'a donné sa parole. J'avais vingt-quatre ans, et un âge mental qui n'atteignait pas quinze ans. J'étais restée bloquée dans l'enfance, par trop de malheur. Mon fils faisait partie d'une vie qu'il me fallait oublier pour en construire une autre. À ce moment-là, je ne m'expliquais pas les choses aussi clairement, bien au contraire. J'avançais jour après jour comme dans le brouillard et à l'instinct. Mais j'étais sûre d'une chose, mon fils avait droit à la sécurité et à des parents normaux. Je n'étais pas une mère normale. Je me détestais, je pleurais sur mes brûlures, sur cette peau horrible qui me condamnait à vie. Au début, à l'hôpital, je croyais que tous ces gens merveilleux allaient me rendre ma peau, et que j'allais redevenir comme avant.

Quand j'ai compris qu'ils ne pouvaient me rendre que la vie avec cette enveloppe de cauchemar pour le reste de mes jours, je me suis effondrée à l'intérieur de moi-même. Je n'étais plus rien, j'étais moche, je devais me cacher pour ne pas gêner les autres.

Les années suivantes, en reprenant peu à peu le goût de vivre, je voulais oublier Marouan, certaine qu'il avait plus de chance que moi. Il allait à l'école, il avait des parents, des frères, une sœur, il était forcément heureux. Mais il était là, caché dans un coin de ma tête.

Je fermais les yeux, et il était là. Je courais dans la rue, et il était là, derrière, devant ou à côté de moi, comme si je fuyais et qu'il me poursuivait. J'avais toujours cette image de l'enfant qu'une infirmière posait sur mes genoux et que je ne pouvais pas prendre dans mes bras, parce que je courais dans le jardin, le feu sur moi, et que mon enfant brûlait avec moi. Un enfant dont son père n'avait pas voulu, sachant parfaitement qu'il nous condamnait à mort tous les deux. Dire que j'avais aimé cet homme et tant espéré de lui !

J'avais peur de ne pas en trouver un autre. À cause de mes cicatrices, de mon visage, de mon corps, et de ce que j'étais moi-même, intérieurement. Toujours cette idée que je ne valais rien, cette peur de déplaire, de voir se détourner les regards.

J'ai commencé par travailler dans une ferme, puis grâce à « papa » je suis entrée dans une usine qui fabriquait des pièces de précision. Le travail était propre, et je gagnais bien. Je vérifiais des circuits imprimés, des pièces de mécanisme. Il y avait un autre secteur intéressant dans cette usine, mais il fallait vérifier les pièces sur ordinateur, et je ne m'en sentais pas capable. Je refusais l'apprentissage sur ce poste, en prétendant que je préférais travailler debout à la chaîne, plutôt qu'assise. Un jour la chef d'équipe m'a appelée :

« Souad ? Venez avec moi, s'il vous plaît.

– Oui, madame.

– Asseyez-vous là, à côté de moi, tenez cette souris, je vais vous montrer !

– Mais je n'ai jamais fait ça, je ne vais pas savoir. Je préfère la chaîne...

– Et si un jour on n'a plus de travail sur les chaînes ? On fait quoi ? Rien du tout ? Plus de travail pour Souad ? »

Je n'osais pas lui dire non. Même si j'avais peur. Chaque fois qu'il me fallait apprendre quelque chose de nouveau, j'avais les mains moites et les jambes tremblantes. C'était la panique totale, mais je serrais les dents. Chaque jour, chaque heure de ma vie je devais apprendre, sans aucun bagage, incapable de lire et d'écrire comme les autres. Analphabète sans avoir appris le mot ! Mais je voulais tellement travailler que cette femme m'aurait dit de me mettre la tête dans un seau et de ne plus respirer, je l'aurais fait

Alors j'ai appris à manipuler une souris et à comprendre un écran d'ordinateur. Et au bout de quelques jours, ça marchait. Ils étaient tous très contents de moi. Je n'ai jamais manqué une minute en trois ans, ma place était toujours impeccable – je la nettoyais avant de partir – et j'étais toujours à l'heure, avant les autres. On m'avait « dressée » dans mon enfance, à coups de bâton, au travail intensif et à l'obéissance, à l'exactitude et à la propreté. C'était une seconde nature, la seule qui me restait d'une vie antérieure. Je me disais : « On ne sait jamais, si quelqu'un d'autre vient demain, je ne veux pas qu'il trouve la place sale... »

Je suis même devenue un peu maniaque de l'ordre et de la propreté. Un objet doit être pris à sa place et remis à sa place, une douche se prend tous les jours, les dents se brossent trois fois par jour, les cheveux se lavent deux fois par semaine, les ongles se brossent, les sous-vêtements se changent tous les jours... je cherche la pureté partout, c'est très important pour moi, sans que je puisse l'expliquer.

J'aime choisir mes vêtements, mais là je sais pourquoi : parce que le choix m'a toujours été interdit. J'aime le rouge, par exemple, parce que ma mère disait : « Voilà ta robe, il faut la mettre. » Elle était moche et grise, mais, même si je ne l'aimais pas, je la mettais.

Alors j'aime le rouge, le vert, le bleu, le jaune, le noir, le marron, toutes les couleurs qui m'étaient interdites. Pour la forme, je n'ai pas le choix. Col roulé, ou au ras du cou, chemisier fermé, pantalon. Et les cheveux sur les oreilles. Je ne peux rien montrer.

Parfois, j'allais m'asseoir à une terrasse de café, emmitouflée dans mes vêtements, hiver comme été, et je regardais passer les gens. Les femmes en minijupe ou en décolleté, bras et jambes exposés au regard des hommes. Je guettais dans ces regards celui qui pourrait se poser sur moi, et je n'en voyais pas, alors je rentrais chez moi. Jusqu'au jour où j'ai aperçu de la fenêtre de ma chambre une voiture, et un homme à l'intérieur dont je ne voyais que les mains et les genoux.

Je suis tombée amoureuse. C'était le seul homme de toute la terre. Je ne voyais que lui, à cause de cette voiture, de ses deux mains sur le volant.

Je ne suis pas tombée amoureuse de lui parce qu'il était beau, gentil, tendre, parce qu'il ne me frappait pas ou que j'étais en sécurité avec lui. Je suis tombée amoureuse parce qu'il conduisait. Rien que de voir sa voiture se garer devant l'immeuble me faisait battre le cœur. Être là, simplement à le voir monter ou bien descendre de cette voiture quand il partait travailler, ou en revenait... j'en pleurais ! J'avais peur le matin qu'il ne revienne pas le soir.

Je ne me suis pas rendu compte que c'était la même chose que la première fois. Il a fallu que quelqu'un me le fasse remarquer, plus tard, pour que je réalise. Une voiture et un homme qui part et qui revient sous ma fenêtre, que j'aime d'abord sans le lui dire, que je guette avec l'angoisse de ne plus voir la voiture revenir. C'était simple. À l'époque, je n'ai pas envisagé la chose plus loin. Parfois j'essayais de travailler ma mémoire, de savoir le pourquoi des choses de ma vie, mais je laissais tomber très vite, c'était bien trop compliqué pour moi.

Antonio avait une voiture rouge. Je restais à ma fenêtre jusqu'à ce qu'elle disparaisse de ma vue... Et je refermais la fenêtre.

Je l'ai rencontré, je lui ai parlé, j'ai su qu'il avait une petite amie que je connaissais, alors j'ai attendu. Nous sommes d'abord devenus amis. Il s'est passé au moins deux ans et demi ou trois ans avant que cette amitié se transforme en autre chose. J'étais amoureuse, mais lui... je ne savais pas ce qu'il pensait de moi. Je n'osais lui demander, mais je faisais tout mon possible pour qu'il m'aime, pour le retenir. Je voulais tout lui donner, le servir, le dorloter, le nourrir, tout faire pour qu'il me garde !

C'était la seule manière. Je n'en voyais pas d'autre. Je pouvais le séduire comment ? Avec mes beaux yeux ? Avec mes jolies jambes ? Avec mon joli décolleté ?

Nous avons d'abord vécu ensemble, sans nous marier, et il m'a fallu du temps pour être à l'aise. Pas de lumière pour me déshabiller, des bougies. Le matin, je m'enfermais dans la salle de bain le plus vite possible, et je n'apparaissais que recouverte d'un peignoir de la tête aux pieds. Et ça a duré très longtemps. Encore maintenant, ça me dérange. Je sais qu'elles ne sont pas jolies, mes cicatrices.

On a emménagé, pour commencer, dans un studio en ville. Nous travaillions tous les deux. Il gagnait correctement sa vie, et moi aussi. Et j'attendais qu'il me demande en mariage, mais il n'en parlait pas. Et moi je rêvais d'une bague, d'une cérémonie, alors j'ai fait pour Antonio ce que ma mère faisait pour mon père, ce que toutes les femmes de mon village faisaient pour leur mari. Je me levais le matin à cinq heures spécialement pour lui, pour lui laver les pieds et les cheveux. Pour lui tendre ses vêtements propres et bien repassés. Pour le regarder partir au travail avec un dernier signe de la main, un baiser par la fenêtre...

Et je l'attendais, le soir, avec le repas prêt, jusqu'à minuit et demi, même une heure du matin s'il le fallait, pour manger avec lui. Même si j'avais faim, je l'attendais comme j'avais vu faire les femmes de chez nous. À la différence que je l'avais choisi, cet homme, que personne ne me l'avait imposé, et que je l'aimais. Ce devait être assez étonnant pour lui. Un homme occidental n'est pas habitué à ça. Au début il m'a dit : « C'est super ! Je te remercie, ça me fait gagner du temps, et je n'ai plus de soucis. »

Il était heureux. Quand il rentrait le soir, il s'asseyait dans son fauteuil et je lui enlevais ses chaussures et ses chaussettes. Je lui passais ses pantoufles. Je m'étais mise à son service totalement pour le retenir à la maison.

J'avais peur chaque jour qu'il rencontre une autre femme. Et quand il rentrait le soir, qu'il mangeait le repas que je lui avais préparé, j'étais soulagée, heureuse jusqu'au lendemain.

Mais Antonio ne voulait pas se marier et il ne voulait pas d'enfants. Et moi, j'en voulais. Il n'était pas prêt. J'ai respecté ses idées jusqu'à ce qu'il le soit. J'ai attendu près de sept ans de cette façon. Antonio savait que j'avais eu un enfant, et qu'il était adopté. J'avais dû lui raconter l'essentiel de ma vie, expliquer les cicatrices de brûlures, mais une fois la chose dite, nous n'en avons plus reparlé. Antonio trouvait que j'avais choisi la meilleure solution pour lui. Marouan appartenait à une autre famille, je n'avais plus mon mot à dire sur sa vie. On me donnait de ses nouvelles assez régulièrement, mais j'avais peur d'aller le voir.

Je n'y suis allée que trois fois pendant toutes ces années. Sur la pointe des pieds. J'avais fini par m'habituer à cette culpabilité supplémentaire. Je m'efforçais tant d'oublier que j'y arrivais presque.

Mais je voulais au moins un enfant. Me marier d'abord, c'était impératif. Il fallait que je puisse refaire ma vie dans l'ordre : un mari, une famille.

J'avais presque trente ans le jour de ce mariage tant attendu. Antonio était prêt, sa situation s'était améliorée, nous pouvions passer du studio à l'appartement. Et lui aussi voulait un enfant. C'était mon premier mariage, ma première robe, mes premières belles chaussures.

Une jupe longue en peau, un chemisier en peau, une veste de tailleur en peau, des escarpins à talons. Tout était blanc et en cuir. Le cuir est souple, il coûte cher aussi. J'aimais cette sensation sur ma peau. Dans les magasins, je ne pouvais jamais passer devant un vêtement de cuir sans le toucher, le tâter, juger de la souplesse. Je n'avais jamais compris pourquoi, maintenant je le sais. C'est comme si je changeais de peau. Et c'est une défense aussi, une manière de présenter une jolie peau au regard des autres, pas la mienne. Comme le sourire, une façon d'offrir du bonheur aux autres, pas forcément le mien.

Ce mariage, c'était la joie de ma vie. La seule que j'avais pu connaître avant cela, c'était mon premier rendez-vous avec le père de Marouan. Mais je n'y pensais plus. C'était oublié, enfoui dans une autre tête que la mienne. Lorsque je suis tombée enceinte, j'étais au paradis.

Laetitia était vraiment un enfant désiré. Je lui parlais toujours dans mon ventre, j'étais fière de le montrer et je portais des vêtements serrés, moulants. Je voulais que tout le monde sache que j'attendais un enfant, que tout le monde voie ma bague et mon alliance. Toute mon attitude, à cette époque-là, était à l'inverse de ce que j'avais vécu la première fois, et je ne m'en rendais même pas compte. J'avais dû me cacher, mentir et supplier, prier pour me marier, pour qu'un enfant ne naisse pas de mon ventre dans le déshonneur de ma famille. Et j'étais vivante, dans la rue, je marchais sur les trottoirs avec ce ventre neuf, cet enfant neuf. Je croyais avoir tout effacé avec ce bonheur-là. J'y croyais parce que je le voulais de toutes mes forces.

Dans un coin de ma tête, Marouan était caché, tout petit. Un jour, peut-être, je serais capable de l'affronter, de lui raconter, mais je n'avais pas encore fini de renaître.

Laetitia est arrivée comme une fleur. Juste le temps de dire au médecin :

« Je crois que j'ai besoin d'aller aux toilettes...

– Mais non, c'est le bébé qui arrive... »

Une toute petite fleur, noire de cheveux, au teint mat. Elle s'est glissée hors de mon ventre avec une facilité remarquable. On a dit autour de moi : « Pour un premier enfant, c'est magnifique, c'est rare d'accoucher aussi facilement... »

Je l'ai allaitée jusqu'à sept mois et demi, et c'était un bébé très facile. Elle mangeait tout, elle dormait bien, jamais un problème de santé.

Deux ans après, j'ai voulu un autre enfant. Garçon ou fille, ce n'était pas le problème. Mais je le voulais tellement qu'il ne venait pas, et le docteur nous a conseillé de partir en vacances, Antonio et moi, et de ne plus y penser. Mais je guettais, et à chaque déception, une fois par mois, je fondais en larmes. Jusqu'à ce que, enfin, une autre petite fille se profile à l'horizon.

Nous étions fous de joie tous les deux à la naissance de Nadia.

Elle était toute petite encore, lorsque Laetitia m'a demandé, en me caressant la main :

« C'est quoi ça, maman ? Bobo ? C'est quoi ?

– Oui, maman a un bobo, mais je t'expliquerai quand tu seras plus grande. »

Elle n'en a plus parlé. Petit à petit, je relevais mes manches devant elle, j'apparaissais un peu plus. Je ne voulais pas la choquer, qu'elle soit dégoûtée, donc j'y allais progressivement.

Elle m'a touché le bras, elle devait avoir cinq ans :

« C'est quoi, maman ?

– Maman a été brûlée.

– C'est quoi qui t'a brûlée ?

– C'est quelqu'un.

– Il est très méchant !

– Oui, très méchant.

– Est-ce que papa peut lui faire ce qu'il t'a fait à toi ?

– Non, ton papa ne peut pas faire ce qu'il a fait à maman, parce que c'est loin, dans le pays où je suis née, et c'est arrivé il y a très longtemps. Ça, maman t'expliquera quand tu seras encore plus grande.

– Mais avec quoi on t'a brûlée ?

– Tu sais, dans ce pays, les machines à laver comme ici, ça n'existe pas, alors maman prenait de l'eau, et elle faisait le feu...

– Comment tu faisais le feu ?

– Tu te souviens avec papa quand on est allé chercher le bois dans la forêt et qu'on a fait du feu pour faire griller les saucisses ? Maman faisait la même chose : elle avait un endroit pour faire le feu, pour chauffer l'eau. Et maman faisait la lessive et un monsieur est venu, et il a pris un produit très méchant, qui brûle tout, il peut même brûler une maison tout entière, il a vidé le produit sur les cheveux de maman et il a allumé avec une allumette. Voilà comment maman a été brûlée.

– Il est méchant ! Je le déteste ! Je vais aller le tuer !

– Mais tu ne pourras pas aller le tuer, Laetitia. Peut-être que le bon Dieu l'a déjà puni. Parce que, moi, il m'a bien punie. Mais moi, je suis bien heureuse, parce que je suis avec papa et avec toi. Et puis je t'aime.

– Maman, pourquoi il a fait ça ?

– C'est très long à t'expliquer... tu es trop petite.

– Si, je veux !

– Non, Laetitia. Maman t'a dit, elle t'expliquera un jour après l'autre. Parce que ce sont des choses graves, très dures à expliquer, et tu ne comprendrais pas pour le moment. Tout ce que maman t'a dit maintenant, c'est largement assez. »

Le même jour, après le repas du soir, j'étais dans un fauteuil et elle était debout près de moi. Elle m'a caressé les cheveux et a commencé à soulever mon pull-over. Je me doutais de ce qu'elle voulait, mais ça me rendait malade.

« Qu'est-ce que tu fais, Laetitia ?

– Je voudrais voir ton dos. »

Je l'ai laissée faire.

« Ah, maman, c'est pas doux ta peau. Regarde la mienne comme elle est douce.

– Oui, ta peau est très douce parce que c'est ta vraie peau, mais la peau de maman n'est pas douce parce qu'il y a une grande cicatrice. C'est pour ça que tu dois faire attention aux allumettes. C'est à papa, c'est uniquement pour allumer les cigarettes de papa. Si tu touches ça, tu vas te brûler comme maman. Promis ? Ça peut faire mourir, le feu.

– T'as peur du feu ? Hein, maman ? »

Je ne pouvais pas la cacher, cette peur-là, elle surgissait à la moindre occasion. Et les allumettes étaient ma bête noire. C'est toujours le cas.

Laetitia s'est mise à faire des cauchemars, je l'entendais s'agiter, elle criait : « Aïe ! Aïe ! » Et je la voyais s'agripper à son duvet de toutes ses forces. Une fois, elle en est tombée de son lit. J'espérais que les choses allaient se calmer, mais un jour elle m'a dit :

« Tu sais, maman, la nuit, je viens voir si tu dors.

– Pourquoi tu fais ça ?

– Pour que tu sois pas morte. »

Je l'ai amenée chez mon médecin. J'étais inquiète pour elle, je m'en voulais de lui en avoir trop dit. Mais le médecin m'a dit que j'avais eu raison de répondre la vérité, et qu'il fallait faire très attention pour la suite.

Et puis ça a été le tour de Nadia. Plus ou moins au même âge. Mais elle a réagi très différemment. Elle n'a pas fait de cauchemars, elle n'avait pas peur pour moi, mais elle n'était pas bien. Je voyais qu'elle gardait tout pour elle. On était assises ensemble et elle soupirait.

« Pourquoi tu soupires, chérie ?

– Je sais pas, comme ça.

– Le cœur qui soupire n'a pas tout ce qu'il désire. Qu'est-ce que tu veux dire à maman et que tu n'oses pas dire ?

– Elles sont petites, tes oreilles ! Tu as des petites oreilles parce que tu ne mangeais pas beaucoup ?

– Non, chérie. Maman a des petites oreilles parce qu'elle a été brûlée. »

J'ai expliqué à Nadia de la même façon. Je voulais que mes filles entendent les mêmes choses, les mêmes paroles. Donc, j'ai employé le même langage, la même vérité avec Nadia.

Ça lui a fait mal. Nadia n'a pas dit comme sa sœur qu'elle voulait tuer celui qui avait fait ça, elle a demandé à toucher. J'avais des boucles d'oreilles, j'en porte souvent pour cacher ce qui me reste de mes oreilles.

« Tu peux toucher. Simplement, tu ne tires pas les boucles d'oreilles parce que ça fait mal. »

Elle a effleuré mes oreilles et elle est partie dans sa chambre, en fermant la porte.

Le plus difficile à supporter pour elles devait être l'école. Elles grandissaient, et Antonio ne pouvait pas toujours aller les chercher. J'imaginais les questions des autres enfants. Pourquoi ta maman est comme ça ? Qu'est-ce qu'elle a, ta maman ? Pourquoi elle a toujours un pull-over en été ? Pourquoi elle n'a pas d'oreilles ?

L'étape d'explications suivante a été la plus dure. Je l'ai simplifiée, sans parler de Marouan. J'ai menti. J'avais rencontré un monsieur que j'aimais et qui m'aimait, et ce n'était pas permis par mes parents. Ils avaient décidé que je devais brûler et mourir. C'était la coutume de mon pays. Mais la dame Jacqueline qui venait nous voir souvent à la maison m'avait emmenée en Europe pour que je guérisse.

Laetitia était toujours la plus violente, Nadia silencieuse. Laetitia avait une douzaine d'années lorsqu'elle m'a dit qu'elle voulait partir là-bas et les tuer tous. Presque les mêmes mots que son père, lorsque je lui avait raconté mon histoire et la naissance de Marouan : « J'espère qu'ils vont tous crever pour t'avoir fait ça ! »

J'ai refait des cauchemars à mon tour. J'étais couchée, je dormais, et maman venait avec un couteau brillant dans la main. Elle le brandissait au-dessus de ma tête en disant : « Je vais te tuer avec ce couteau ! » Et le couteau brille, comme une lumière... Ma mère est réelle, elle est vraiment là, présente au-dessus de ma tête. Et je me réveille en sueur, terrorisée.

Il est revenu souvent, ce cauchemar. Je me réveillais toujours au moment où le couteau brillait le plus fort. Le plus insupportable était de revoir ma mère. Plus que la mort, plus que le feu, ce visage me hante. Elle a voulu me tuer, elle a tué ses bébés, elle est capable de tout, et c'est ma mère ! Je suis sortie de son ventre !

J'ai tellement peur de lui ressembler que j'ai décidé un jour de subir une nouvelle opération, mais esthétique cette fois. Une de plus, une de moins... Celle-là allait me délivrer d'une ressemblance physique que je ne pouvais plus voir dans la glace. Une petite bosse entre les sourcils, à la racine du nez, la même que la sienne. Je ne l'ai plus, et je me trouve plus jolie. Pourtant le cauchemar me poursuivait. Et le médecin n'y pouvait rien. Il aurait fallu peut-être que je rencontre un psychiatre, mais cette idée ne m'était jamais venue.

Un jour, je suis allée voir une guérisseuse pour lui expliquer mon cas. Elle m'a donné un petit couteau, minuscule, et m'a dit : « Mettez-le sous votre oreiller, la lame refermée, et vous ne ferez plus ce cauchemar. »

J'ai fait ce qu'elle disait, et le couteau n'est plus revenu me terroriser pendant mon sommeil.

Hélas, je pense toujours à ma mère.

Tout ce qui manque

J'aurais bien voulu apprendre à écrire. Je sais lire, mais seulement si les lettres sont imprimées. Je ne peux comprendre une lettre écrite à la main parce que je n'ai appris qu'en lisant le journal. Mais il m'arrive souvent de buter sur un mot. Alors je demande à mes filles.

Edmond Kaiser et Jacqueline avaient essayé de me donner quelques notions, au début. Je voulais toujours apprendre pour être comme les autres. Vers vingt-quatre ans, quand j'ai commencé à travailler, j'ai eu la possibilité de suivre un cours pendant trois mois. J'étais très contente. C'était dur, parce que je payais beaucoup plus cher que mon salaire, alors Antonio m'a dit : « C'est pas grave, je peux t'aider. » J'ai répondu : « Non. Je veux payer mon cours toute seule. »

Je voulais y arriver moi-même, avec mon propre argent. J'ai arrêté au bout de trois mois, mais ça m'a beaucoup aidée. On m'a appris à tenir un crayon comme à un enfant qui va à la maternelle, et à écrire mon nom. Je ne savais pas comment faire les *a*, ni les *s*, rien. Donc j'ai appris l'alphabet, lettre après lettre, en même temps que la langue. Au bout de ces trois mois, j'étais capable de déchiffrer quelques mots dans le journal.

Alors j'ai commencé par lire l'horoscope, parce que quelqu'un m'avait dit que j'étais Balance ! Tous les jours, je déchiffrais mon avenir. Ce que je comprenais n'était pas toujours clair, mais il me fallait des textes brefs et des phrases courtes au début. Lire un article en entier, ce serait pour plus tard. Dans les textes courts, il y avait aussi les annonces mortuaires. Personne ne les a épluchées comme moi ! « La famille X a la douleur de vous faire part du décès de Madame X. Paix à son âme ! »

J'ai lu aussi les petites annonces matrimoniales, les ventes de voiture, mais j'ai abandonné très vite, les mots en raccourci n'étaient pas pour moi ! J'ai voulu m'abonner à un quotidien, un journal très populaire, mais Antonio le trouvait stupide... Alors tous les jours, avant mon travail, je descendais en ville et je commençais par boire un café en lisant le journal. J'aimais bien ce moment-là. Pour moi, c'était le meilleur pour apprendre. Et peu à peu, lorsque les gens parlaient autour de moi d'un événement quelconque, je pouvais répondre que moi aussi je le savais, que je l'avais lu dans le journal. Les gens voyagent, ils vont, ils viennent, ils parlent de la mer, du restaurant, d'hôtels, de la plage. Ils parlent du monde entier et moi je ne pouvais pas discuter de tout cela avec eux. Maintenant je peux.

Je connais un peu la géographie européenne, les grandes capitales et certaines villes plus petites. J'ai vu Rome, Venise et Portofino. En Espagne, j'ai visité Barcelone avec mes parents adoptifs, mais je n'y suis restée que cinq jours.

C'étaient les vacances d'été. Il faisait très chaud et j'avais l'impression de priver papa et maman de la plage, de les obliger à rester enfermés comme moi. Alors je suis rentrée et ils sont restés. Un maillot de bain, pour moi, c'est difficile à envisager. Il faudrait que je sois seule sur une plage, comme je suis seule dans ma salle de bain.

J'ai vu assez peu de choses du monde. C'est une boule ronde, mais on ne m'a jamais appris à la comprendre. Par exemple, je sais que les États-Unis c'est l'Amérique, mais j'ignore où est cette Amérique sur la boule ronde. Même la Cisjordanie, je ne sais pas la situer.

J'ai essayé de regarder dans les livres de géographie de mes filles, mais je ne sais pas par où commencer pour imaginer tous les pays. Je ne me rends pas compte des distances. Si quelqu'un me dit, par exemple : « On se donne rendez-vous à cinq cents mètres de chez toi », je n'arrive pas à mesurer ces cinq cents mètres dans ma tête. Je me repère visuellement sur une rue ou sur un magasin que je connais. Alors, le monde, je n'arrive pas à l'imaginer du tout. Je regarde la météo internationale à la télévision, et j'essaie de me souvenir où se trouvent l'Angleterre, et Madrid, Paris et Londres, Beyrouth et Tel-Aviv.

Je me souviens d'avoir travaillé à côté de Tel-Aviv avec mon père. J'étais encore petite, une dizaine d'années. On nous avait emmenés là pour cueillir des choux-fleurs. C'était pour un voisin qui nous avait rendu service en fauchant le blé avec nous. Il y avait une barrière qui nous protégeait des juifs, on était presque sur leur terre. Je pensais qu'il suffisait de passer cette barrière pour être juif, et ça me faisait très peur. Les souvenirs qui me restent de mon enfance sont tous liés à la peur, je m'en suis rendu compte.

On m'avait appris qu'il ne fallait pas s'approcher des juifs, parce qu'ils étaient des *halouf*, des « cochons ». Il ne fallait même pas les regarder. Pour nous, c'était donc quelque chose d'horrible d'être là, si près d'eux. Ils mangent différemment, ils vivent différemment. On ne peut pas les comparer avec nous, nous sommes comme le jour et la nuit, comme la laine et la soie. J'ai appris les choses comme ça. La laine c'est les juifs et la soie c'est les musulmans. Je ne comprends pas pourquoi on m'a mis ça dans la tête, mais il n'y avait rien d'autre à penser. Quand on voyait un juif dans la rue – d'ailleurs ils ne venaient presque jamais – c'était tout de suite des bagarres avec des cailloux et des morceaux de bois. Il ne fallait surtout pas l'approcher ni lui parler, sinon on allait devenir juif aussi ! Il faut que je réalise une fois pour toutes que ce sont des bêtises. Ces gens ne m'ont rien fait de mal ! Il y a par exemple une très belle boucherie juive dans mon quartier. La viande y est meilleure, j'en ai déjà mangé, mais je n'ose pas entrer seule pour en acheter moi-même. Alors je vais chez le Tunisien parce qu'il est tunisien. Pourquoi ? Je ne sais pas. Souvent je me dis : « Souad, tu vas y aller et acheter cette belle viande, c'est de la viande comme une autre ! »

Je sais que j'y arriverai un jour. Mais j'ai encore peur. J'ai trop entendu chez moi qu'il ne fallait avoir aucun contact avec eux, qu'il fallait les ignorer comme s'ils n'existaient pas sur terre. C'était plus que de la haine. C'était le pire ennemi pour les musulmans.

Je suis née musulmane et je crois toujours en Dieu, je suis toujours musulmane, mais aujourd'hui il ne me reste plus grand-chose des coutumes de mon village.

Et je n'aime pas la guerre, je déteste la violence. Si quelqu'un me reproche quelque chose, par exemple de renier la religion musulmane en parlant mal des hommes de mon pays – ça m'est arrivé –, au lieu de me battre, je parle, je discute, j'essaie de convaincre l'autre en le forçant à m'écouter pour l'aider à comprendre ce qu'il n'a pas compris.

Ma mère se bagarrait avec les voisines. Elle prenait des cailloux pour les leur lancer dessus, ou elle leur arrachait les cheveux. Chez nous, on se bagarre toujours avec les cheveux. Et moi, je me cachais derrière la porte, dans le four à pain ou dans l'écurie avec les moutons. Je ne voulais pas voir ça.

Je voudrais tout apprendre de ce que je ne sais pas. Comprendre les différences du monde, et j'espère que mes enfants, ici, profiteront de leur chance. C'est mon malheur qui la leur a donnée, c'est le destin qui les préserve de la violence de mon pays, de la guerre des cailloux et de la méchanceté des hommes. Je ne veux pas qu'on leur entre dans la tête ce qu'on a mis dans la mienne, et que j'ai tellement de difficulté à en faire sortir. J'essaie d'y réfléchir, et je me rends compte que, si on m'avait dit que j'avais les yeux bleus sans me donner de miroir, toute ma vie j'aurais cru que j'avais les yeux bleus. Le miroir représente la culture, l'éducation, la connaissance de soi-même et des autres. Si je me regarde dans un miroir par exemple, je me dis : « Qu'est-ce que tu es petite ! »

Sans miroir, je marcherai sans m'en rendre compte, sauf si je suis à côté d'un grand. Et je penserai quoi, du grand, s'il marche aussi sans savoir qu'il est grand ?

Je commence à réaliser que je ne connais rien aux juifs, que je n'ai pas appris leur histoire, et que, si je continue comme ça, moi aussi je dirai à mes enfants que le juif est un halouf ! Je leur transmettrai une bêtise au lieu du savoir et de la possibilité de penser par elles-mêmes.

Un jour Antonio a dit à Laetitia :

« Je ne veux pas que tu te maries un jour avec un Arabe.

– Pourquoi, papa ? Un Arabe, c'est comme toi, comme un autre, comme tout le monde. »

Alors j'ai dit à mon mari : « Ça sera un Arabe, un Juif, un Espagnol, un Italien... le plus important, c'est qu'elles choisissent qui elles aiment, et qu'elles soient heureuses. Parce que, moi, je ne l'ai pas été. »

J'aime Antonio, mais je ne sais pas pourquoi il m'aime, je n'ai jamais eu le courage de le lui demander, de lui dire : « Regarde-moi, d'où je viens et comment je suis maintenant. J'ai été brûlée, comment se fait-il que tu me veuilles, moi, alors qu'il y a plein d'autres femmes ? »

Je n'ai pas confiance en moi. Parfois, je me dis : « Mince, et s'il va chercher une autre femme, je fais comment ? »

C'est étrange quand même. Quand je suis au téléphone avec lui, je pose toujours la même question : « Tu es où, chéri ? » Et quand il me répond qu'il est à la maison, c'est un soulagement. J'ai toujours cette petite peur à l'intérieur de moi. Celle de l'abandon, de l'homme qui ne reviendra pas. Que j'attendrai seule dans l'angoisse, comme j'ai attendu le père de Marouan.

J'ai rêvé plusieurs fois, ces derniers temps, qu'Antonio était avec une femme.

C'était un cauchemar de plus. Il a commencé deux jours après la naissance de Nadia, la cadette. Antonio était avec une autre femme. Ils se donnaient le bras et ils marchaient ensemble. Et je disais à ma fille Laetitia : « Va vite chercher papa ! » Moi, je n'osais pas y aller. Et ma fille tirait son papa par la veste : « Non, papa ! Ne pars pas avec elle ! Viens ! » Il fallait qu'elle le ramène vers moi, et elle tirait son père autant qu'elle pouvait ! Il n'y a pas de fin à ce cauchemar. Je ne sais jamais si Antonio revient ou pas. La dernière fois, je me suis réveillée vers trois heures et demie du matin, et je n'ai pas vu Antonio. Je me suis levée, il n'était pas dans son fauteuil, la télévision n'était pas allumée. Je me suis précipitée à la fenêtre pour vérifier si sa voiture était là, avant de me rendre compte qu'il y avait de la lumière dans son bureau, et qu'il travaillait aux comptes de son entreprise.

Je voudrais tellement être en paix, ne plus faire de cauchemars ! Mais mes sentiments ne sont jamais calmes : émotion, angoisse, incertitude, jalousie, inquiétude permanente de la vie. Quelque chose est cassé en moi, et souvent les gens ne s'en rendent pas compte, parce que je souris toujours par politesse, par respect des autres.

Mais quand je vois passer une jolie femme, avec de beaux cheveux, de belles jambes et une belle peau... Quand vient l'été, le temps de la piscine et des vêtements légers...

J'ouvre mon armoire : elle est pleine de vêtements fermés jusqu'au cou. J'en achète d'autres pourtant, des robes décolletées, des chemises sans manches. Pour me faire plaisir. Mais je ne peux les porter qu'avec une veste, elle aussi boutonnée jusqu'au cou. Mon autre couche...

Et je suis en colère à chaque été. Je sais que la piscine ouvre le 6 mai et ferme le 6 septembre, ça me rend folle. Je voudrais qu'il pleuve, qu'il ne fasse jamais plus de 25 degrés. Je deviens égoïste, mais c'est malgré moi. Quand il fait trop chaud, je ne sors que le matin de bonne heure, ou tard le soir. Je surveille la météo, il m'arrive de dire tout haut : « Tant mieux, il ne fait pas beau demain. » Et les enfants crient !

« C'est méchant ce que tu dis, maman ! Nous, on veut aller à la piscine ! »

Si la température monte à 30 degrés dehors, je m'enferme dans ma chambre. Je ferme la porte à clé et je pleure. Si j'ai le courage de sortir avec mes deux couches de vêtements, celle que je voudrais montrer et celle qui me cache, je crains les passants. Est-ce qu'ils savent comment je suis ? Est-ce qu'ils se demandent pourquoi je m'habille en été comme en hiver ?

J'aime l'automne, l'hiver et le printemps. J'ai de la chance de vivre dans un pays où il n'y a de grand soleil que trois ou quatre mois dans l'année. Je ne pourrais pas vivre au soleil, et pourtant j'y suis née. J'ai oublié ce pays, les heures où le soleil doré brûlait la terre, celles où il devenait jaune pâle dans le ciel gris avant de se coucher pour la nuit. Je ne veux pas de soleil.

Parfois, je regarde cette piscine au-dehors, et je la déteste. Pour mon malheur, elle a été construite pour le plaisir des locataires de la résidence.

C'est elle qui a déclenché cette maudite dépression.

J'avais quarante ans. C'était le tout début de l'été, un mois de juin qui s'annonçait chaud. Je venais de faire les courses en bas de la maison, et je regardais dehors, depuis ma fenêtre, ces femmes presque nues en maillot de bain. Une de mes voisines, une jolie fille, revenait justement de la piscine en bikini, pieds nus, un paréo sur les épaules, avec son amoureux à côté d'elle, torse nu. J'étais seule, enfermée, obsédée par l'idée que je ne pouvais pas faire comme eux. Ce n'était pas juste, il faisait si chaud. Alors j'ai ouvert mon armoire et j'ai cherché. J'ai étalé je ne sais combien de vêtements sur le lit, avant de trouver quelque chose de raisonnable, et je n'étais toujours pas bien dans ma peau. Manches courtes par-dessous, une autre chemise par-dessus. C'est trop chaud. Mettre une chemise trop transparente, même fermée jusqu'en haut, je ne peux pas. Une mini-jupe, je ne peux pas à cause de mes jambes qui ont servi de réservoir à greffes. Décolleté, manches courtes, je ne peux pas à cause des cicatrices. Tout ce que j'étalais sur mon lit était des « je ne peux pas ».

Je transpirais, tout me collait sur la peau.

Je me suis mise au lit, et j'ai commencé à pleurer sérieusement. Je n'en pouvais plus d'être enfermée par cette chaleur, alors que les autres étaient dehors avec leur peau à l'air libre. Je pouvais pleurer tant que je voulais, j'étais seule, les filles étaient encore à l'école en face de la maison. Ensuite, je me suis regardée dans le miroir de ma chambre à coucher et je me suis dit : « Regarde-toi ! Pourquoi tu es là ? Tu ne peux pas aller à la plage avec ta famille. Même si tu y vas, tu vas les priver de rester dans l'eau parce qu'il faudra rentrer à cause de toi. Les filles sont à l'école, mais quand elles vont rentrer, elles vont vouloir aller à la piscine. Heureusement pour elles, elles en ont le droit, mais pas toi ! Tu ne peux même pas aller au restaurant de la piscine, prendre un café, boire une limonade, parce que tu as peur d'être vue par les autres. Tu es habillée de la tête aux pieds, on dirait que c'est l'hiver et qu'il fait 10 degrés au bord de cette piscine. On te prend pour une folle ! Tu ne sers à rien ! Tu es là, mais sans être là. Tu es un objet qui reste enfermé à la maison. »

Alors je suis allée dans la salle de bain, j'ai pris un flacon de somnifères que j'avais acheté à la pharmacie, sans ordonnance, parce que j'avais du mal à dormir. Trop de choses me trottaient dans la tête. J'ai vidé le tube, j'ai compté les comprimés. Il y en avait dix-neuf et je les ai tous avalés.

Au bout de quelques minutes, je me suis sentie bizarre, tout tournait. J'ai ouvert la fenêtre, je pleurais en regardant, devant moi, le toit de l'école de Laetitia et Nadia. J'ai ouvert la porte de l'appartement en parlant toute seule, je m'entendais comme si j'étais au fond d'un puits. Je voulais monter au sixième étage, je voulais sauter de la terrasse, j'y allais comme en dormant, et en parlant.

« Qu'est-ce qu'elles vont devenir si je suis morte ? Elles m'aiment. Je les ai mises au monde, pourquoi ? Pour qu'elles souffrent ? Ça ne suffit pas d'avoir tant souffert moi-même ? Je ne veux pas qu'elles souffrent, on quitte cette vie toutes les trois ensemble ou rien... Non, elles ont besoin de moi. Antonio travaille. Il dit qu'il travaille, mais il est peut-être à la plage, je ne sais pas où il est... Mais lui, il sait très bien que je suis à la maison parce qu'il fait trop chaud. Je ne peux pas sortir, je ne peux pas m'habiller comme je veux. Pourquoi ça m'est arrivé ? Qu'est-ce que j'ai fait au bon Dieu ? Qu'est-ce que j'ai fait sur terre ? »

Je pleurais dans le corridor. Je ne savais plus où j'étais. Je suis retournée dans l'appartement pour fermer la fenêtre, puis je suis sortie dans le hall, devant les boîtes aux lettres, pour attendre les filles. Après, je ne me souviens plus de rien, jusqu'à l'hôpital.

Je suis tombée évanouie à cause des médicaments. On m'a fait un lavage d'estomac, et le médecin m'a gardée en observation. Le lendemain, je me suis retrouvée à l'hôpital psychiatrique. J'ai vu une psychiatre, une très gentille femme. Elle est entrée dans la chambre :

« Bonjour, madame...

– Bonjour, docteur. »

Je voulais sourire poliment mais j'ai fondu en larmes aussitôt. Elle m'a fait avaler un tranquillisant, s'est assise à côté de moi :

« Racontez-moi comment c'est arrivé, pourquoi vous avez pris ces comprimés. Pourquoi vous avez voulu vous suicider. »

J'ai expliqué, le soleil, la piscine, le feu, les cicatrices, l'envie de mourir, et j'ai recommencé à pleurer. Je n'arrivais plus à démêler ce qui s'était passé dans ma tête. La piscine, cette stupide piscine avait tout déclenché. Je voulais mourir à cause d'une piscine ?

« Vous savez que c'est la deuxième fois que vous échappez à la mort ? D'abord votre beau-frère, maintenant vous. Je trouve que ça fait beaucoup, et si on ne s'occupe pas de vous, ça pourrait se reproduire. Mais moi je suis là pour vous aider, vous voulez bien ? »

J'ai suivi une thérapie pendant un mois avec elle, et ensuite elle m'a envoyée chez une autre psychiatre, une fois par semaine, le mercredi. C'était la première fois de ma vie depuis le feu que j'avais la parole devant quelqu'un qui n'était là que pour m'écouter parler de mes parents, de mon malheur, de Marouan... Ce n'était pas facile pour moi. Par moments j'avais envie de tout arrêter, mais je m'obligeais car je savais qu'en sortant de là je me sentais bien.

Au bout de quelque temps, je l'ai trouvée trop autoritaire. Je sentais qu'elle voulait m'imposer un chemin à suivre. Comme si elle m'avait dit de rentrer chez moi par la droite, alors que je savais très bien que je pouvais y aller par la gauche...

Je me suis dit : « Mais merde ! Elle me dirige, c'est pas ma mère. » Déjà par l'obligation d'aller la voir chaque mercredi. J'aurais voulu y aller quand j'en avais envie, ou besoin. J'aurais bien voulu aussi qu'elle me pose des questions, qu'elle me parle, qu'elle me regarde entre quatre yeux. Ne pas parler aux murs, pendant qu'elle écrivait. Pendant une année, j'ai résisté à l'envie de fuir. Et j'ai compris que je n'étais pas réaliste, qu'en voulant mourir je niais l'existence de mes deux filles. J'étais égoïste de ne penser qu'à moi-même, de vouloir m'en aller en me fichant du reste. C'est bien joli de dire « je veux mourir »... Et les autres ?

Je vais mieux, mais parfois c'est très pénible. Ça me prend n'importe quand. Surtout l'été. Nous allons déménager, loin de cette piscine. Notre maison sera au bord de la route, mais l'été viendra toujours. Même à la montagne, ou dans le désert, ce sera quand même l'été.

Parfois, je me dis : « Seigneur, j'aimerais ne pas me lever demain matin, j'aimerais mourir et ne plus souffrir. »

J'ai ma famille, des amis autour de moi, je fais beaucoup d'efforts. Mais j'ai honte de moi-même. Si j'avais été brûlée dans un accident, ou paralysée, je regarderais mes cicatrices différemment. Ce serait le destin, personne ne serait responsable, même pas moi.

Mais mon beau-frère m'a brûlée, et c'était la volonté de mon père et de ma mère. Ce n'est pas le destin ou la fatalité qui m'a rendue comme je suis. Ce qui fait le plus mal, c'est qu'ils m'ont privé de ma peau, de moi-même, pas pour un mois ou un an, ou dix ans, mais pour toute ma vie.

Et ça revient de temps en temps. C'était un western où il y avait beaucoup de bagarres, et de chevaux. Deux hommes se battaient dans une écurie. L'un d'eux, par méchanceté, a allumé une allumette et l'a jetée dans le foin, entre les jambes de son adversaire, qui a pris feu et s'est mis à courir avec le feu sur lui. J'ai commencé à crier, à recracher ce que je mangeais. J'étais comme folle.

Antonio m'a dit : « Mais non, chérie, c'est le film, c'est le film. » Et il a éteint la télévision. Il m'a prise dans ses bras pour me calmer, en répétant : « Chérie, c'est la télé. Ce n'est pas vrai, c'est du cinéma ! »

J'étais loin en arrière, je courais avec le feu sur moi. Je n'ai pas dormi de la nuit. J'ai une telle terreur du feu que la plus petite flamme me fige. Je surveille Antonio lorsqu'il allume une cigarette, j'attends que l'allumette soit éteinte, ou que la flamme du briquet disparaisse. Je ne regarde pas beaucoup la télévision à cause de cela. J'ai peur d'y revoir quelqu'un ou quelque chose qui brûle. Mes filles y font attention. Dès qu'elles aperçoivent quelque chose qui pourrait me choquer, elles coupent l'image.

Je ne veux pas qu'elles allument une bougie. Tout est électrique à la maison. Je ne veux pas voir de feu à la cuisine ni ailleurs. Mais un jour, quelqu'un a joué avec des allumettes devant moi, en riant, pour faire une démonstration. Il avait mis de l'alcool sur un doigt, et il l'a allumé. La peau ne brûlait pas, c'était pour jouer.

Je me suis levée, prise à la fois de frayeur et de fureur :

« Tu vas faire ça ailleurs ! Moi, j'ai été brûlée. Tu ne sais pas ce que c'est ! »

Un feu dans une cheminée ne me fait pas peur, à condition que je n'en approche pas. L'eau ne me gêne pas à condition qu'elle soit tiède. J'ai peur de tout ce qui est chaud. Le feu, l'eau chaude, le four, les plaques, les casseroles, les cafetières toujours allumées, la télévision qui peut prendre feu, les prises électriques mal mises, l'aspirateur, les cigarettes oubliées, tout... Tout ce qui peut arriver par le feu. Finalement, mes filles sont terrorisées à cause de moi. Parce qu'une fille de quatorze ans qui ne peut pas allumer une plaque électrique à cause de moi, ce n'est pas normal. Si je ne suis pas là, je ne veux pas qu'elles se servent de la cuisinière, qu'elles fassent bouillir de l'eau pour des pâtes, ou du thé. Il faut que je sois là, près d'elles, attentive, sur les nerfs, pour être certaine de l'éteindre moi-même. Il n'y a pas un jour où je vais me coucher sans contrôler les plaques électriques.

Cette peur, je vis avec jour et nuit. Je sais que j'embarrasse la vie des autres. Que mon mari est patient, mais qu'il se lasse parfois d'une terreur sans raison. Que mes filles devraient pouvoir tenir une casserole sans que je tremble. Il faudra bien qu'elles le fassent un jour.

Une autre peur m'est venue vers la quarantaine. L'idée que Marouan était devenu un homme, que je ne l'avais pas revu depuis vingt ans, qu'il savait que j'étais mariée et qu'il avait des sœurs quelque part. Mais Laetitia et Nadia, elles, ne savaient pas qu'elles avaient un frère.

Ce mensonge était un poids dont je ne parlais à personne, Antonio connaissait son existence depuis le début, mais nous n'en parlions jamais. Jacqueline savait, mais respectait mon mensonge. Elle m'avait demandé de participer à des conférences, pour parler du crime d'honneur devant d'autres femmes. Jacqueline continuait son travail, elle partait en mission et revenait parfois victorieuse, parfois les mains vides. Je me devais de raconter ma vie de femme brûlée, de témoigner en qualité de survivante. J'étais pratiquement la seule à pouvoir le faire après toutes ces années.

Et je continuais à mentir, à ne pas révéler l'existence de Marouan, en me persuadant que je protégeais encore mon enfant de cette horreur. Mais il était presque un homme. La grande question était de savoir si je préservais plutôt ma honte personnelle, ma culpabilité de l'avoir fait adopter, ou Marouan lui-même.

Il m'a fallu du temps avant de comprendre que tout était lié. Dans mon village, il n'y a pas de psychiatre, les femmes ne se posent pas de questions pareilles. Nous sommes seulement coupables d'être des femmes.

Mes filles ont grandi, les « pourquoi, maman ? » sont devenus cruels.

« Mais pourquoi ils t'ont brûlée, maman ?

– Parce que je voulais me marier avec un garçon que j'avais choisi, et que j'attendais un bébé.

– Qu'est-ce qu'il est devenu, le bébé ? Il est où ? »

Il était resté là-bas, dans un orphelinat. Je n'ai pas pu leur dire autre chose.

Témoin survivant

Jacqueline m'a donc demandé de témoigner au nom de l'association Surgir. Elle a attendu que j'en sois capable nerveusement, après cette dépression qui m'avait brusquement anéantie, alors que j'avais réussi à construire une vie normale, que j'étais intégrée dans mon nouveau pays, avec un travail, un mari et des enfants, la sécurité. J'allais mieux, mais je me sentais encore fragile, devant ce public de femmes européennes. J'allais leur parler d'un monde tellement différent, d'une cruauté si inexplicable pour elles.

J'ai raconté mon histoire devant ces femmes, assise sur une estrade, devant une petite table avec un micro. Jacqueline était à côté de moi. Je me suis lancée en reprenant tout depuis le début. Et on m'a posé des questions : « Pourquoi il vous a brûlée ?... Vous aviez fait quelque chose de mal ?... Il vous a brûlée juste pour avoir parlé avec un homme ? »

Je ne dis jamais que j'attendais un enfant. D'abord parce que, enceinte ou pas, il suffit d'un ragot dans le village, d'une dénonciation, pour que la punition soit la même. Jacqueline en sait quelque chose. Et surtout pour épargner mon fils, qui ne sait rien de mon passé et du sien. Je ne dis pas mon véritable nom, l'anonymat est une mesure de sécurité. Jacqueline connaît des cas où la famille a réussi à retrouver une fille à des milliers de kilomètres et à l'assassiner.

Une femme dans le public s'est levée :

« Souad, votre visage est joli, où sont ces cicatrices ?

– Madame, je comprends très bien que vous me posiez cette question, je m'y attendais. Alors je vais vous montrer où sont mes cicatrices. »

Je me suis levée, devant tout ce monde, et j'ai défait ma chemise. J'avais un décolleté et des manches courtes. J'ai montré mes bras, j'ai montré mon dos. Et cette femme s'est mise à pleurer. Les quelques hommes présents, eux, étaient mal à l'aise. Ils avaient pitié de moi.

Au moment de me donner en spectacle, j'ai tout de même l'impression d'être une sorte de monstre de foire. Mais ça ne me gêne pas tellement dans le cadre d'un témoignage, parce que c'est important pour les gens. Je dois leur faire comprendre que je suis une survivante. J'étais en train de mourir lorsque Jacqueline est arrivée dans cet hôpital. Je lui dois la vie, et l'œuvre qu'elle s'efforce de continuer avec Surgir a besoin d'un témoin vivant pour sensibiliser le public au crime d'honneur. Les gens l'ignorent pour la plupart. Tout simplement parce que les survivantes sont rares dans le monde. Et que, pour leur sécurité, elles ne doivent pas s'exposer. Elles ont échappé au crime d'honneur grâce à des relais de l'association, dans plusieurs pays. Il n'y a pas que la Jordanie ou la Cisjordanie, mais dans tout le Moyen-Orient, l'Inde, le Pakistan...

Cette partie du témoignage revient à Jacqueline. C'est elle qui explique aussi qu'il est impératif de prendre des mesures de sécurité pour toutes ces femmes.

Au moment de mon premier témoignage, je suis en Europe depuis une quinzaine d'années. Ma vie a complètement changé, je peux prendre le risque qu'elles ne peuvent pas encore prendre. Les questions personnelles portent ensuite sur ma nouvelle vie, mais surtout sur la condition des femmes de mon pays. Un homme m'a posé la question.

Moi qui ai parfois du mal à trouver le mot juste quand il s'agit de ma propre vie de malheur, je m'emballe dès qu'il s'agit des autres, on me m'arrête plus.

« Monsieur, une femme là-bas n'a pas de vie. Beaucoup de filles sont battues, maltraitées, étranglées, brûlées, tuées. Pour nous, là-bas, c'est tout à fait normal. Ma mère a voulu m'empoisonner pour " finir " le travail de mon beau-frère, et pour elle c'était normal, ça fait partie de son monde à elle. C'est ça la vie normale pour nous les femmes. Tu es tabassée, c'est normal. Tu es brûlée, c'est normal, tu es étranglée, c'est normal, tu es maltraitée, c'est normal. La vache et les moutons, comme mon père disait, sont mieux considérés que les femmes. Si on ne veut pas mourir, il faut se taire, obéir, ramper, se marier vierge et faire des fils. Si je n'avais pas rencontré un homme sur mon chemin, c'est la vie que j'aurais eue. Mes enfants seraient devenus comme moi, mes arrière-petits-enfants comme mes enfants. Si j'avais vécu là-bas, je serais devenue normale, comme ma mère qui a étouffé ses propres enfants. J'aurais peut-être tué ma fille. J'aurais pu la laisser brûler. Maintenant, je pense que c'est monstrueux ! Mais si j'étais restée là-bas, j'aurais fait pareil ! Quand j'étais à l'hôpital, là-bas, en train de mourir, je pensais encore que c'était normal. Mais quand je suis venue en Europe, j'ai compris à l'âge de vingt-cinq ans, à force d'entendre parler les gens autour de moi, qu'il y a des pays où ça ne se fait pas de brûler les femmes, que les filles sont acceptées autant que les garçons. Pour moi, le monde s'arrêtait à mon village. Mon village était merveilleux, c'était le monde entier, jusqu'au marché ! Après le marché, ce n'était pas normal parce que les filles se maquillaient, portaient des robes courtes et un décolleté. C'étaient elles qui n'étaient pas normales. Ma famille l'était ! Nous, on était purs comme la laine des moutons, et les autres, dès qu'on passait le marché, étaient impurs !

« Les filles n'avaient pas le droit d'aller à l'école, pourquoi ? Pour ne pas connaître le monde. Le plus important, c'étaient nos parents. Ce qu'ils disent, on doit le faire. La connaissance, la loi, l'éducation viennent d'eux uniquement. C'est pourquoi il n'y avait pas d'école pour nous. Pour ne pas qu'on prenne le bus, qu'on s'habille autrement, avec un cartable dans la main, pour ne pas qu'on apprenne à écrire et à lire, c'est trop intelligent, pas bon pour une fille ! Mon frère était le seul et unique garçon au milieu des filles, habillé comme ici, comme à la grande ville, il allait chez le coiffeur, à l'école, au cinéma, il sortait librement, pourquoi ? Parce qu'il avait un zizi entre les jambes ! Il a eu de la chance, il a eu deux garçons, mais ce n'est pas lui finalement qui a eu le plus de chance, ce sont ses filles. Elles, elles ont eu la chance immense de ne pas naître !

« La fondation Surgir, avec Jacqueline, essaie de sauver ces filles. Mais ce n'est pas facile. Nous, on est là, les bras croisés. Je vous parle et vous m'écoutez. Mais elles, là-bas, elles souffrent ! C'est pour cette raison que je témoigne pour Surgir sur les crimes d'honneur, parce que ça continue !

« Je suis vivante et je suis sur pied grâce au bon Dieu, grâce à Edmond Kaiser et grâce à Jacqueline. Surgir, c'est du courage, c'est travailler beaucoup pour aider ces filles. Je les admire. Je ne sais pas comment ils font. J'aimerais mieux apporter de la nourriture et des vêtements aux réfugiés, aux malades, que de faire leur travail. Il faut se méfier de tout le monde. On peut parler à une femme qui a l'air gentille, et qui va te dénoncer parce que tu veux aider et qu'elle n'est pas d'accord. Jacqueline arrive dans un pays, elle est obligée de se comporter comme eux, de manger, marcher et parler comme eux. Elle doit se fondre dans ce monde-là pour rester anonyme !

– Merci, madame ! »

Au début, j'étais angoissée, je ne savais pas comment je devais parler, et maintenant Jacqueline était forcée de m'arrêter !

Parler devant un public, directement, ne me gênait pas trop. Mais j'ai eu peur de la radio, à cause de mon entourage, des relations de travail, de mes filles, qui savaient, mais qui ne savaient pas tout. Elles avaient environ dix et huit ans, elles avaient des copines d'école, je voulais leur demander d'être discrètes si on leur posait des questions.

« Ah, super, j'aimerais bien venir avec toi ! »

Cette réaction de Laetitia était à la fois rassurante et un peu inquiétante. Maman passe à la radio, c'est super... Je me suis rendu compte qu'elles ne réalisaient pas l'enjeu de ce témoignage et qu'à part mes cicatrices elles ne savaient presque rien de ma vie. Un jour ou l'autre, lorsqu'elles seraient plus grandes, je devrais tout leur dire, et ça me rendait malade d'avance.

C'était la première fois que je parlais à une audience si large.

Mes filles ont donc appris par cette émission un nouveau pan de mon histoire. Après avoir écouté l'émission, Laetitia a eu une réaction très violente.

« Tu t'habilles maintenant, maman, tu prends ta valise, on va à l'aéroport et on s'en va là-bas, dans ton village. On va leur faire la même chose. On va les brûler ! On va prendre des allumettes et on va les brûler comme ils t'ont fait ! Je peux pas te voir comme ça. »

Elle a été suivie par un psychologue pendant six mois, mais un jour elle m'a déclaré :

« Tu sais, maman, c'est toi qui es ma psychologue. J'ai de la chance parce que je parle de tout avec toi, de A à Z. Tu réponds à toutes les questions que je te pose. Donc, je veux plus y aller. »

Je n'ai pas voulu la forcer. J'ai téléphoné au médecin et nous avons fait le bilan ensemble. Il pensait qu'elle aurait eu besoin de quelques séances supplémentaires, mais que pour l'instant il ne fallait pas la forcer. « Mais si vous voyez par la suite qu'elle n'est pas bien, qu'elle ne parle pas facilement, qu'elle déprime, j'aimerais que vous me la rameniez. »

Je crains que mon histoire pèse bien lourd sur elles, dans l'avenir. Elles ont peur pour moi, et moi pour elles. J'ai attendu qu'elles soient suffisamment mûres pour comprendre tout ce que je n'avais pas encore dit : ma vie d'avant dans le détail, l'homme que je voulais pour mari, le père de Marouan. Je redoute cette révélation, bien plus que tous les témoignages qu'on peut me demander. Il faudra aussi que je les aide à ne pas haïr le pays d'où je viens, et qui est à moitié le leur. Elles sont dans l'ignorance totale de ce qui se passe là-bas. Comment les empêcher d'avoir de la haine pour les hommes de ce pays ? La terre y est belle, mais les hommes sont mauvais. En Cisjordanie, des femmes se battent pour obtenir une loi qui ne soit pas celle des hommes. Mais ce sont des hommes qui votent les lois.

Il y a dans certains pays, en ce moment, des femmes qui sont en prison. C'est le seul moyen de les mettre à l'abri et de leur éviter la mort. Même en prison, elles ne sont pas totalement en sécurité. Mais les hommes qui veulent les tuer, eux, sont en liberté. La loi ne les punit pas, ou si peu qu'ils ont très vite les mains libres pour égorger, brûler, venger leur prétendu honneur.

Et si quelqu'un se présente dans un village, dans un quartier, pour les empêcher de nuire, même s'il est armé d'une mitraillette, ils seront dix après lui s'il est tout seul, cent s'ils sont venus à dix ! Si un juge condamnait un homme pour crime d'honneur, comme un simple assassin, alors ce juge ne pourrait plus jamais marcher dans la rue, il ne pourrait plus vivre dans un village, il devrait fuir de honte, pour avoir puni un « héros ».

Je me demande ce qu'est devenu mon beau-frère. Est-ce qu'il est allé en prison seulement quelques jours ? Ma mère avait parlé de la police, des ennuis que pourraient avoir mon frère et mon beau-frère si je ne mourais pas. Pourquoi la police n'est-elle pas venue me voir ? C'était moi, la victime, brûlée au troisième degré ! Ils trouvent toujours un moyen.

J'ai rencontré des filles revenues de loin, comme moi, il y a des années. On les cache. Une jeune fille qui n'a plus de jambes : elle a été agressée par deux voisins qui l'ont ligotée et mise sous un train. Une autre que son père et son frère ont voulu massacrer à coups de couteau et ont jetée dans une poubelle. Une autre encore que sa mère et ses deux frères ont fait tomber par une fenêtre : elle est paralysée.

Et les autres dont on ne parle pas, celles qui ont été retrouvées trop tard, mortes. Celles qui ont réussi à fuir mais ont été rattrapées à l'étranger, mortes.

Celles qui ont pu s'échapper à temps et se cachent avec ou sans enfant, vierges ou mères.

Je n'ai pas rencontré de femme brûlée comme moi, elles n'ont pas survécu. Et je me cache toujours, je ne peux pas dire mon nom, montrer mon visage. Je ne peux que parler, c'est la seule arme qui me reste.

Jacqueline

Mon rôle aujourd'hui et dans les années qui viennent est de continuer à sauver d'autres Souad. Ce sera long, compliqué, ardu, et il faut de l'argent, comme toujours. Notre fondation s'appelle Surgir, parce qu'il faut surgir au bon moment pour aider ces femmes à échapper à la mort. Nous travaillons n'importe où dans le monde, en Afghanistan, comme au Maroc ou au Tchad. Partout où nous pouvons intervenir dans l'urgence. Une urgence qui avance lentement ! On annonce que plus de six mille cas de crimes d'honneur par an sont recensés, et derrière ce chiffre se cachent tous les suicides, accidents, etc., qui ne sont pas comptabilisés...

Dans certains pays, on met les femmes en prison lorsqu'elles ont le courage de se plaindre, pour pouvoir les protéger. Certaines y sont depuis quinze ans ! Car les seules personnes qui puissent les faire sortir de là, ce sont le père ou le frère, c'est-à-dire ceux qui veulent les assassiner. Alors, si un père demande à faire sortir sa fille, il est bien évident que le gouverneur n'accepte pas ! Il y en a une ou deux qui, à ma connaissance, sont néanmoins sorties ; elles ont été tuées ensuite.

En Jordanie – et ce n'est qu'un exemple – il existe une loi disant, comme dans la plupart des pays : tout meurtre, crime de droit commun, doit être puni d'années de prison. Mais à côté de cette loi, deux petits articles 97 et 98 précisent que les juges seront indulgents pour les coupables du crime d'honneur. La peine est généralement de six mois à deux ans de prison. Les condamnés, parfois considérés comme des héros, ne la purgent souvent pas en totalité. Des associations d'avocates locales luttent pour que ces articles soient amendés. D'autres articles l'ont été, mais pas les 97 et 98.

Nous travaillons avec des associations de femmes, sur place, qui, depuis plusieurs années, ont mis sur pied des programmes de prévention de la violence et d'accompagnement de femmes victimes de la violence dans leur pays. Leur travail est long, et souvent contrarié par les irréductibles... Mais pas après pas les choses avancent. Les femmes d'Iran ont progressé sur le terrain de leurs droits civiques. Celles du Moyen-Orient ont appris qu'il existe dans leur pays des lois qui les concernent et leur donnent des droits. Les Parlements sont saisis, certains des articles de loi sont amendés.

Peu à peu, les autorités reconnaissent ces crimes. Les statistiques sont annoncées officiellement dans des rapports de la Commission des droits de l'homme au Pakistan. Au Moyen-Orient, la médecine légale de plusieurs pays informe sur le nombre de cas connus et les associations locales enquêtent sur les cas de violence et font des recherches sur les raisons historiques et actuelles du maintien de ces coutumes archaïques.

Que ce soit au Pakistan, qui recense le nombre le plus important de jeunes filles et de femmes tuées, au Moyen-Orient, en Turquie, l'essentiel est de faire reculer ces coutumes qui se transmettent aveuglément.

Dans un passé récent, des autorités comme le roi Hussein et le prince Hassan se sont prononcés ouvertement contre ces crimes qui, disaient-ils, « ne sont pas des crimes d'honneur mais de déshonneur ». Des imams et des religieux chrétiens expliquent sans relâche que le « crime d'honneur » est totalement étranger au Coran ou à l'Évangile.

Nous ne perdons pas courage ni obstination. Surgir a pris l'habitude de frapper à toutes les portes, au risque qu'elles lui claquent au nez. Parfois, ça marche.

Mon fils

Laetitia et Nadia étaient encore petites lorsque je suis retournée en visite dans ma famille adoptive pour la première fois depuis que je lui avais « abandonné » Marouan. Je craignais les réactions de mon fils devant ses deux petites sœurs. Il entrait dans l'adolescence, j'avais construit une autre vie sans lui, et je ne savais pas s'il allait se souvenir de moi, m'en vouloir, ou se désintéresser de nous. Chaque fois que je téléphonais pour prévenir de ma visite, et de mon inquiétude, on me répondait : « Non, non, sans problème, Marouan est au courant, tu peux venir. »

Mais il n'était pas là très souvent. Je demandais de ses nouvelles et on m'assurait toujours qu'il allait bien. Je l'ai vu trois fois en vingt ans. Et j'étais mal à chaque fois. Je pleurais en rentrant à la maison. Mes deux filles croisaient leur frère sans savoir qui il était, alors que lui était au courant. Il ne manifestait rien, ne réclamait rien, et je me taisais. C'étaient des visites éprouvantes. Je ne pouvais pas lui parler, je n'en avais pas la force. La dernière fois, Antonio m'a dit :

« Je crois qu'il vaut mieux ne plus y aller. Tu pleures tout le temps, tu déprimes, ça ne sert à rien. Il a sa vie, des parents, une famille, des copains... laisse-le tranquille. Un jour, plus tard, tu lui expliqueras s'il le demande. »

Je me sentais toujours coupable, je refusais de revenir sur le passé, d'autant plus que personne ne savait que j'avais eu un fils, à part Jacqueline et mon mari. Est-ce qu'il était toujours mon fils ? Je ne voulais pas de drame de famille, c'était trop dur.

La dernière fois que je l'ai vu, il avait environ quinze ans. Il a même joué un moment avec ses sœurs... Notre échange s'était limité à quelques mots d'une triste banalité : « Bonjour, ça va bien ?... Ça va et toi ? »

Près de dix ans ont passé. Je pensais qu'il m'avait oubliée, que je n'existais plus dans sa vie d'homme adulte. Je savais qu'il travaillait, qu'il vivait dans un studio avec une petite amie, comme tous les jeunes gens de son âge.

Laetitia avait treize ans, Nadia douze. Je me consacrais à leur éducation et me persuadais que j'avais fait mon devoir. Dans les moments de déprime, égoïstement, je me disais que pour continuer à survivre, il valait mieux oublier. J'enviais les gens heureux, ceux qui n'ont pas eu de malheur dans leur enfance, qui n'ont pas de secret, pas de double vie. Ce que je peux dire, c'est que je voulais enterrer ma première vie, de toutes mes forces, pour essayer d'être comme eux. Mais chaque fois que je participais à une conférence, qu'il me fallait raconter cette vie de cauchemar, ce bonheur tremblait sur ses bases, comme une maison mal construite. Antonio le voyait bien, et Jacqueline aussi. J'étais fragile, mais je faisais semblant de ne pas l'être.

Un jour, Jacqueline me dit :

« Tu pourrais rendre service à d'autres femmes si on faisait un livre de ta vie.

– Un livre ? Mais je sais à peine écrire...

– Mais tu sais parler... »

Je ne savais pas que l'on pouvait « parler » un livre. Un livre, c'est quelque chose de tellement important... Je ne fais pas partie de ceux qui lisent des livres, malheureusement. Mes filles en lisent, Antonio peut en lire. Moi, je préfère le journal du matin. J'étais tellement impressionnée par l'idée d'un livre, de moi dans un livre, que ça m'a trotté dans la tête. Depuis quelques mois, en voyant grandir mes filles, je me disais qu'un jour il faudrait bien que je leur en dise plus. Si tout cela était écrit dans un livre une fois pour toutes, ce serait moins angoissant que d'affronter mes filles seule.

Jusqu'à présent je ne leur avais raconté, petit à petit, que l'essentiel pour expliquer mon aspect physique. Mais, un jour ou l'autre, elles voudraient tout comprendre, et les questions à venir seraient autant de coups de couteau dans ma tête.

Je ne me sentais pas encore capable de fouiller dans ma mémoire, à la recherche du reste. À force de vouloir oublier, on oublie réellement. Le psychiatre m'avait expliqué que c'était normal, avec le choc et la souffrance due au manque de soins. Mais le plus grave, c'était Marouan. Je vivais sur un mensonge protecteur depuis trop longtemps. Et je vivais mal.

Si j'acceptais de me raconter dans un livre, je devrais parler de lui. Est-ce que j'en avais le droit ? J'ai dit non. J'avais trop peur. Ma sécurité et la sienne étaient également en cause. Un livre, ça va partout dans le monde. Et si ma famille me retrouvait ? Si elle faisait du mal à

Marouan ? Ils en étaient bien capables. D'un autre côté, j'en avais envie. Il m'arrivait trop souvent de rêver tout éveillée à une vengeance impossible. Je me voyais retourner là-bas, bien cachée, et protégée jusqu'à ce que je retrouve mon frère. C'était comme un film dans ma tête.

J'arrivais devant sa maison, et je disais :

« Tu te souviens de moi, Assad ? Tu vois, je suis vivante ! Regarde bien mes cicatrices. C'est ton beau-frère Hussein qui m'a brûlée, mais je suis là !

« Tu te souviens de ma sœur Hanan ? Qu'est-ce que tu as fait de ma sœur ? Tu l'as donnée aux chiens ? Et ta femme, elle va bien ? Pourquoi on m'a brûlée le jour où elle a accouché de ses fils ? J'étais enceinte, il fallait brûler aussi mon fils ? Explique-moi pourquoi tu n'as rien fait pour m'aider, toi, mon seul frère de sang ?

« Je te présente mon fils Marouan ! Il est né deux mois en avance à l'hôpital de la ville, mais il est grand et beau, et bien vivant ! Regarde-le !

« Et Hussein ? Il est devenu vieux ou il est mort ? J'espère qu'il est encore là, mais aveugle ou paralysé, pour me voir vivante devant lui ! J'espère qu'il souffre autant que j'ai souffert !

« Et mon père et ma mère ? Ils sont morts ? Dis-moi où ils sont que j'aille les maudire sur leur tombe ! »

Je fais souvent ce rêve de vengeance. Il me rend violente, comme eux. J'ai envie de tuer, comme eux ! Ils me croient morte, tous, et je voudrais tellement qu'ils me voient vivante !

Pendant presque un an, j'ai dit non au livre, sauf si je pouvais laisser mon fils à l'écart de ce récit. Et Jacqueline a respecté ma décision. C'était dommage, mais elle comprenait.

Je ne voulais pas faire un livre en parlant de moi sans parler de lui, et je n'arrivais pas à me décider à un face à face avec Marouan pour résoudre le problème. La vie continuait, j'étais démoralisée à force de me dire : « Fais-le ! Non, ne le fais pas ! » Comment aborder Marouan ? Je vais lui téléphoner un jour, comme ça sans prévenir au bout de tant d'années, et lui dire : « Marouan, il faut qu'on se parle ? »

Comment me présenter? Maman? Comment faire devant lui ? Lui serrer la main ? L'embrasser ? Et s'il m'a oubliée ? Il en a le droit, puisque je l'ai « oublié » moi-même...

Jacqueline m'a fait réfléchir à une chose qui me tourmentait encore plus.

« Qu'est-ce qui se passerait si Marouan rencontrait un jour une de ses sœurs et qu'elle ne sache pas qu'il est son frère ? Si elle tombait amoureuse de lui et qu'elle te le ramène à la maison, tu ferais quoi ? »

Je n'y avais jamais pensé. Une vingtaine de kilomètres nous séparaient. Laetitia allait avoir quatorze ans, bientôt viendrait le temps des petits copains... Nadia suivrait.... vingt kilomètres, ce n'est rien. Le monde est petit ! Malgré ce danger incertain, mais toujours possible, je n'arrivais pas à me décider. Une année s'est écoulée.

Et finalement les choses se sont faites toutes seules. Marouan a téléphoné à la maison. J'étais au travail et c'est Nadia qui lui a répondu. Il a simplement dit :

« Je connais ta mère, on a été ensemble dans la même famille d'accueil. Tu peux lui demander de me rappeler ? »

Et quand je suis revenue à la maison, Nadia ne retrouvait plus le papier sur lequel elle avait noté le numéro.

Elle cherchait partout, je m'énervais. On aurait dit que le destin ne voulait pas que je reprenne contact avec Marouan. J'ignorais où il habitait et où il travaillait maintenant. J'aurais pu téléphoner à son père adoptif pour me renseigner, mais je n'en avais pas le courage. J'étais lâche, je m'en voulais. C'était plus facile de laisser faire le destin que de me regarder dans la glace. C'est lui qui a rappelé, un jeudi. C'est lui qui a dit : « Il faut qu'on se parle. » Et nous nous sommes donné rendez-vous pour le lendemain midi. J'allais affronter mon fils, je savais ce qui m'attendait. En gros, la question serait : « Pourquoi on m'a adopté quand j'avais cinq ans. Pourquoi tu ne m'as pas gardé avec toi ?... Explique-moi. »

Je voulais me faire belle. Je suis allée chez le coiffeur, je me suis maquillée, habillée simplement, jean, baskets et chemisier rouge, manches longues et col fermé. Le rendez-vous était fixé à midi pile, devant un restaurant de la ville.

La rue est étroite. Il vient du centre-ville et moi de la gare, on ne peut pas se manquer. Et je le reconnaîtrais entre des milliers. Je le vois arriver de loin, avec un sac de sport vert. Dans ma tête, c'était encore un adolescent, mais c'est un homme qui me sourit. Mes jambes ne me tiennent plus, mes mains commencent à trembler, et mon cœur fait des bonds, comme si je rencontrais l'homme de ma vie. C'est une rencontre d'amour. Il est grand, il se penche beaucoup pour m'embrasser très simplement, comme s'il m'avait quittée la veille, et je lui rends son baiser.

« Tu as bien fait d'appeler.

– J'ai appelé y a quinze jours et puis, comme tu ne rappelais pas, je me suis dit : “ Ça y est, elle ne veut pas me voir... ” »

J'ai dit non, j'ai expliqué que Nadia avait perdu le numéro.

« Si je ne t'avais pas rappelée hier, est-ce que tu m'aurais rappelé ?

– Je ne sais pas, je ne crois pas, non. Je n'osais pas à cause de tes parents... je sais que maman est décédée...

– Oui. Papa est tout seul maintenant, mais ça va... et toi... »

Il ne sait pas comment m'appeler. Cette habitude que j'ai prise au début d'appeler ma famille d'accueil « papa » et « maman » ne facilite pas les choses. Qui est maman ?

Je me lance :

« Tu sais, Marouan, tu peux m'appeler maman, tu peux m'appeler Souad, tu peux m'appeler la petite, la grande, tu peux m'appeler comme tu as envie. Et si Dieu veut, on fera connaissance tout à l'heure.

– D'accord. On va déjeuner et on discute. »

On s'installe à table, et je le dévore des yeux. Il ressemble à son père. Même silhouette, même démarche rapide, même regard, et pourtant il est différent. Finalement il ressemble un peu à mon frère... mais calme, les traits plus doux. Il a l'air de prendre la vie comme elle vient, sans trop de complication, il est simple et direct.

« Explique-moi comment tu as été brûlée.

– Tu ne le sais pas, Marouan ?

– Non. Personne ne m'a jamais rien dit. »

J'explique, et au fur et à mesure que je parle, je vois son regard changer. Quand je parle du feu sur moi, il repose la cigarette qu'il allait allumer.

« J'étais dans ton ventre ?

– Oui, tu étais dans mon ventre. J'ai accouché toute seule. Je ne t'ai pas senti à cause de mes brûlures. Je t'ai vu, tu étais entre mes jambes, c'est tout. Après, tu as disparu. Ensuite Jacqueline est venue te chercher pour te ramener avec moi en avion. On a vécu neuf mois ensemble à l'hôpital et après on nous a confiés à papa et maman.

– C'est à cause de moi alors, tes brûlures ?

– Non, ce n'est pas à cause de toi ! Non, jamais ! C'est malheureusement la coutume chez nous. Les hommes dans ce pays font leur loi. Les responsables, ce sont mes parents, mon beau-frère, mais sûrement pas toi ! »

Il regarde mes cicatrices, mes oreilles, mon cou, pose sa main sur mon bras, doucement. Je sens qu'il devine le reste, mais il ne demande pas à voir. Est-ce qu'il a peur de le demander ?

« Tu ne veux pas voir...

– Non. Ça me fait déjà mal au cœur cette histoire, ça me ferait encore plus mal. Il est comment, mon père ? Il me ressemble ?

– Oui, le haut du visage... Je ne t'ai pas vu beaucoup marcher, mais tu te tiens comme lui, droit, fier. Et puis ta nuque, ta bouche, tes mains surtout. Tu as les mêmes mains que lui, jusqu'au bout des ongles... Il était un peu plus grand, musclé comme toi. Il était beau. Tout à l'heure je regardais tes épaules, et j'ai cru voir ton père.

– Ça doit te faire chaud au cœur, parce que tu l'as aimé, quand même ?

– Oh oui, bien sûr je l'ai aimé. Il avait promis qu'on se marierait... et puis tu vois, quand il a compris que j'étais enceinte, il n'est pas revenu...

– C'est dégueulasse de t'avoir laissée tomber ! Finalement, c'est à cause de moi...

– Marouan, non. Ne pense jamais ça. C'est à cause des hommes de là-bas. Plus tard, quand tu connaîtras mieux ce pays, tu comprendras.

– J'aimerais bien le rencontrer un jour. On pourrait pas aller là-bas ? Tous les deux ? Juste pour voir comment c'est, et puis le voir, lui... ça me plairait de voir sa tête. Il le sait que j'existe ?

– Ça m'étonnerait. Je ne l'ai jamais revu, tu sais... Et puis c'est la guerre là-bas... Non, il vaut mieux ne jamais les revoir.

– C'est vrai que tu as accouché à sept mois ?

– Oui, c'est vrai. Tu es venu tout seul, je ne t'ai pas vu longtemps, mais tu étais tout petit...

– À quelle heure ?

– L'heure ? Je ne sais pas... c'était un 1er octobre, on me l'a dit après. Moi-même, je n'en savais rien ! Je ne peux pas te dire l'heure... L'important, c'est que tu sois venu entier des pieds à la tête !

– Pourquoi tu venais là-bas, chez les parents, et tu ne m'adressais pas la parole ?

– Je n'osais pas, vis-à-vis de papa et maman qui t'avaient adopté. Je ne voulais pas leur faire de mal. Ce sont eux qui t'ont élevé, ils ont fait tout ce qu'ils pouvaient.

– Je me souviens de toi.

– Et dans la chambre, tu m'avais donné un yaourt et puis une de mes dents est tombée et il y avait du sang dans le yaourt, alors je n'ai pas voulu le manger, mais tu m'as forcé à le manger. Ça, je m'en souviens.

– Je ne me souviens pas... Tu sais, à ce moment-là, je m'occupais aussi des autres enfants, et maman disait que je ne devais pas m'occuper de toi plus que les autres... Et puis on ne gâchait pas la nourriture chez les parents, elle coûtait trop cher pour tous ces enfants.

– Moi, quand j'avais quatorze ou quinze ans, je t'en voulais drôlement, tu sais... J'étais jaloux.

– Jaloux de qui ?

– Jaloux de toi. J'aurais voulu que tu sois là tout le temps.

– Et maintenant ? Aujourd'hui ?

– J'ai envie de te connaître, j'ai envie de savoir plein de choses...

– Tu ne m'en veux pas d'avoir eu d'autres enfants ?

– C'est super d'avoir des sœurs... Elles aussi, j'aimerais bien les connaître. »

Il a regardé sa montre, il était l'heure pour moi de retourner travailler.

« C'est dommage, tu vas t'en aller, c'est dommage, j'aimerais bien rester avec toi.

– Oui, mais je suis obligée. Est-ce que tu veux venir à la maison demain ?

– Non, c'est trop tôt. Je préfère qu'on se voie ailleurs.

– Alors demain soir, à sept heures, au même endroit. Je viendrai avec les filles. »

Il est tout heureux. Je ne m'attendais pas à ce que ce soit si facile. Je croyais qu'il m'en voulait tellement de l'avoir fait adopter qu'il me mépriserait. Mais il n'a même pas posé la question. Il m'embrasse, je l'embrasse, on se dit « au revoir et à demain ».

Et je repars travailler, la tête comme une abeille. Un poids énorme est derrière moi. Quoi qu'il arrive maintenant, je suis débarrassée d'une angoisse qui me rongeait depuis longtemps, et que je ne voulais pas admettre. Je regrette de ne pas avoir été capable de garder mon fils avec moi. Il faudra un jour que je lui demande réellement pardon de l'avoir oublié dans ma volonté de refaire ma vie. J'étais morte dans ma tête, de l'eau à la place des idées, je ne savais pas ce que je faisais. Il n'y avait rien de réel. Je flottais. J'aurais dû le lui dire, et lui dire aussi que même si son père nous a abandonnés tous les deux, je l'aimais, cet homme. Ce n'était pas ma faute s'il était lâche comme les autres. Lui dire aussi : « Marouan, j'avais si peur que j'ai tapé sur mon ventre... » Il faut qu'il me pardonne d'avoir fait ça. Je croyais que le sang allait venir me délivrer, j'étais trop ignorante. Je n'avais rien dans la tête, seulement la peur ! Est-ce qu'il pourra comprendre et me pardonner ? Est-ce que je peux tout dire à ce fils ? Et à mes filles ? Comment vont-ils me juger tous les trois ?

Je suis tellement bouleversée que je n'en dors pas la nuit suivante. Une fois de plus, je revois le feu sur moi, et je cours dans le jardin comme une folle.

Antonio me laisse me débrouiller seule, il ne veut pas s'en mêler pour l'instant, mais il voit bien que je vais mal.

« Tu as parlé aux filles ?

– Pas encore. Demain... On va dîner ensemble avec Marouan, et je trouverai bien le moment pour leur parler. Mais j'ai peur, Antonio.

– Tu y arriveras. Tu ne peux plus reculer maintenant. »

À trois heures cinquante-sept du matin, j'ai trouvé un message de Marouan sur mon portable : « *C'est pour te dire que je vais bien, je te fais un bisou. À demain, maman.* »

Il m'a fait pleurer.

Construire une maison

Ce soir-là, Antonio est sorti avec un ami pour me laisser seule avec les enfants.

Samedi soir, sept heures, 16 novembre 2002.

Le dîner est gai. Ils dévorent, ils rient de tout. Laetitia, très bavarde, ne cesse de jacasser, comme à son habitude. Marouan est venu avec sa copine. Pour mes filles, il n'est encore officiellement que l'un des enfants que j'ai connus dans ma famille d'accueil. Sa présence ne les étonne pas, elles sont heureuses de sortir un samedi soir avec maman et des copains.

Ils n'ont pas grandi ensemble et donnent pourtant l'impression d'être complices. Je craignais que cette petite soirée soit éprouvante. Antonio m'a dit avant de partir : « Appelle-moi si tu as besoin de moi, je viendrai te chercher. »

C'est bizarre, mais je me sens bien, je n'ai presque plus peur. Juste un peu d'inquiétude pour mes deux filles. Marouan taquine l'aînée :

« Viens, Laetitia, à côté de moi, viens. »

Il la serre contre lui en plaisantant. Et elle se tourne vers moi pour chuchoter :

« Qu'est-ce qu'il est sympa, maman !

– Oui, c'est vrai.

– Et qu'est-ce qu'il est beau ! »

J'observe les détails de leurs trois visages. Marouan serait plus proche de Laetitia, le haut du front peut-être. Par moments je retrouve chez lui une expression de Nadia, plus pensive et plus réservée que sa sœur. Laetitia exprime toujours ses sentiments et ses réactions sont parfois trop impulsives. Elle a hérité le côté italien de son père. Nadia les garde plus volontiers pour elle.

Est-ce qu'elles vont comprendre ?... J'ai trop tendance à les prendre encore pour des gamines de trois ans et à les surprotéger. À l'âge de Laetitia, ma mère était déjà mariée et enceinte...

Elle vient de me dire : « Qu'est-ce qu'il est beau... »

Elle aurait pu tomber amoureuse de son frère ! Mon silence aurait pu déclencher une série de catastrophes. Pour l'instant ils éclatent de rire en se moquant d'un homme manifestement ivre. Il regarde notre table, en s'adressant de loin à Marouan :

« Espèce d'abruti ! Tu as de la chance, toi, d'être avec des femmes ! Quatre femmes et moi je suis seul ! »

Marouan est fier et apparemment susceptible. Il grogne :

« Je vais me lever et lui casser la gueule.

– Non, reste assis, s'il te plaît !

– D'accord... »

Le patron du restaurant se charge d'éloigner l'intrus en douceur et le repas s'achève en plaisanteries et éclats de rire.

Nous allons raccompagner Marouan et son amie jusqu'à la gare. Il habite et travaille à la campagne. Mon fils s'occupe de jardins et de l'entretien d'espaces verts.

Il semble aimer son métier, il en a un peu parlé à table. Laetitia et Nadia n'ont pas encore de projets précis à leur âge. Nadia parle de travailler dans la couture, Laetitia passe d'une idée à l'autre. Ils marchent tous les trois devant moi dans la rue qui descend à la gare, Marouan est au milieu, Laetitia le tient par un bras, Nadia par l'autre. C'est la première fois de leur vie qu'elles font ça, en toute confiance. Je n'ai toujours pas parlé, et Marouan est formidable, il laisse faire. Il chahute avec ses deux sœurs naturellement, comme s'il les avait toujours connues. Je n'ai pas eu beaucoup de joie dans ma vie, avant mon mariage avec Antonio et la naissance de mes filles. Marouan est né dans la souffrance, sans père, et elles dans le bonheur, les trésors de leur père. Leurs destins sont différents, mais leurs rires les rassemblent mieux que je ne saurais jamais le faire. Un sentiment inconnu m'envahit. Je suis fière d'eux. Ce soir, il ne me manque rien. Plus d'angoisse ni de tristesse, mais la paix dans ma tête.

Sur le quai de la gare, Laetitia me dit :

« Je me suis jamais sentie aussi bien qu'avec quelqu'un comme Marouan. »

Et Nadia ajoute :

« Moi aussi... »

« J'aimerais bien aller dormir chez Marouan et sa copine, et puis demain matin on déjeune ensemble, et puis on prend le train pour revenir !

– Non, on rentre à la maison, Laetitia, ton père nous attend.

– Il est trop sympa, maman, je l'aime vraiment bien, il est gentil, il est beau... Qu'est-ce qu'il est beau, maman ! »

C'est au tour de Nadia de s'accrocher à moi :

« Quand est-ce qu'on le reverra, maman ?

– Peut-être demain ou après-demain. Maman va bien faire les choses, tu verras.

– Qu'est-ce qu'elle dit, Nadia ?

– J'ai demandé à maman pour qu'on se revoie avec Marouan, et elle a dit d'accord pour demain, hein, maman ? C'est d'accord ?

– Vous pouvez compter sur moi. Maman fera bien les choses... »

Le train part, je regarde la pendule, il est une heure quarante-huit du matin. Elles courent toutes les deux en envoyant des baisers de la main. Jamais je n'oublierai cet instant. Depuis que je vis en Europe, j'ai pris l'habitude des montres, et cette habitude s'est transformée en une sorte de repère presque maniaque. Ma mémoire me fait si souvent défaut pour le passé que je note consciencieusement le présent, lorsqu'il est important pour moi. C'est drôle, Marouan voulait savoir hier à quelle heure il est né... Il a besoin de repères lui aussi. C'est un cadeau que j'aurais du mal à lui faire. J'y ai songé cette nuit, en pleine insomnie. Tout ce que je peux tirer de ma pauvre tête, c'est qu'il faisait nuit. Il me semble bien avoir vu une lumière électrique dans le couloir de ce maudit hôpital, lorsque le médecin a emporté mon fils. L'heure... c'est un réflexe d'Occidental, et chez nous seuls les hommes avaient une montre. Pendant vingt ans, j'ai dû me contenter du soleil et de la lune. Je dirai à Marouan qu'il est né à l'heure de la lune.

J'envoie un message sur son portable en arrivant à la maison, pour savoir s'ils sont bien rentrés. Il me répond avec un « *merci, bonne nuit, à demain, à demain...* ».

Il est tard, les filles vont se coucher, et Antonio ne dort pas encore.

« Ça a été, chérie ?

– Impeccable.

– Tu as parlé aux filles ?

– Non, pas encore. Mais je suis prête à le leur dire demain. Je n'ai plus de raison d'attendre, elles l'ont aimé tout de suite. C'est bizarre quand même... comme si elles le connaissaient depuis longtemps.

– Marouan n'a rien dit, il n'a pas fait d'allusion à quelque chose ?

– Absolument rien, il a été formidable. Mais c'est étrange que Laetitia se soit attachée à lui comme ça, et Nadia aussi. Elles étaient pendues après lui. Jamais elles ne se comportent comme ça avec leurs amis. Jamais...

– Tu es trop nerveuse... »

Je ne suis pas nerveuse. Je suis curieuse. Est-ce que des frères et sœurs peuvent se reconnaître de cette façon ? Qu'est-ce qui se passe entre eux pour que ce soit tellement évident ? Est-ce qu'il y a un signal, une chose qu'ils ont en commun même sans le savoir ? Je m'attendais à tout et à rien en même temps, mais pas à cette affection instinctive.

« Tu devrais peut-être attendre un jour ou deux...

– Non. Demain c'est dimanche, je m'installerai à la cafétéria du bureau, il n'y aura personne, et je parlerai à Laetitia et à Nadia calmement. On verra ce que Dieu nous donnera, Antonio. »

Après mes filles, il y aura l'entourage, les voisins, et surtout le bureau où je travaille depuis des années maintenant. J'assure l'entretien, j'organise les petites réceptions, j'y suis comme chez moi, et l'amitié de mes patrons compte beaucoup... Comment leur présenter Marouan au bout de dix ans ?

J'ai besoin d'être seule avec mes filles. Elles vont juger leur mère sur un mensonge de vingt ans, et aussi une femme qu'elles ne connaissent pas, la mère de Marouan, celle qui l'a caché pendant toutes ces années. Celle qui les aime et les protège. Je leur ai souvent dit que leur naissance est le bonheur de ma vie. Comment vont-elles admettre que celle de Marouan était un si grand cauchemar qu'à lui je ne l'ai jamais dit ?

Le lendemain matin vers neuf heures, le réveil du dimanche est comme d'habitude :

« Je te fais un café, maman ?

– Volontiers. »

C'est le rituel du matin, et je réponds toujours « volontiers ». Je suis intransigeante sur la politesse et le respect mutuel. Je trouve que les enfants d'ici sont souvent mal élevés. Ils pratiquent un langage vulgaire qui leur vient de l'école, et contre lequel nous luttons fermement, Antonio et moi. Laetitia s'est fait reprendre plus d'une fois par son père pour avoir mal répondu. Je n'ai reçu, moi, qu'une seule éducation, celle de l'esclavage.

Laetitia m'apporte le café et un verre d'eau tiède. Elle m'embrasse facilement et sa sœur aussi. L'amour que je reçois d'elles et de leur père m'étonne chaque jour, comme si je ne le méritais pas. Ce que je vais faire est aussi dur pour d'autres raisons que ma peur d'affronter le regard de mon fils.

« J'aimerais vous parler de quelque chose de très important.

– Alors vas-y, maman, on t'écoute.

– Non, pas ici, je vous emmène au bureau, à la cafétéria.

– Tu travailles pas aujourd'hui ! Oh, tu sais, j'ai repensé à hier soir, c'était trop super, il ne t'a pas appelée, Marouan ?

– Nous sommes rentrés tard, il doit dormir encore. »

Si ce n'était pas son frère, je m'inquiéterais. Elles bavardent entre elles, absolument pas préoccupées par le côté inhabituel de ce passage au bureau un dimanche matin. C'est moi qui me fais des idées. Elles sortent avec maman, maman va au bureau faire quelque chose, et ensuite... Peu importe, elles me font confiance.

« Hier soir, on a passé une excellente soirée.

– Ah, c'est ça que tu voulais nous dire ?

– Attendez, une chose après l'autre... Hier soir, donc, nous avons passé une bonne soirée avec Marouan, ça ne vous dit rien ? Marouan, ça vous fait penser à quoi ?

– À un gentil garçon qui vivait chez tes parents adoptifs, c'est lui qui l'a dit...

– Et puis il est beau, et puis il est gentil.

– C'est sa beauté ou sa gentillesse qui vous attire ?

– Tout, maman, il a l'air très doux.

– C'est vrai... Vous vous souvenez que j'étais enceinte quand on m'a brûlée ? Je vous en avais parlé.

– Oui, tu nous en as parlé...

– Mais cet enfant, il est où, tu crois ? »

Elles me regardent dans les yeux, bizarrement.

« Mais il est pas resté là-bas ! Dans ta famille !

– Non. Tu n'as pas une idée de l'endroit où est cet enfant ? Tu n'as jamais vu quelqu'un qui pourrait te ressembler, Laetitia, ou à toi, Nadia ? Ou bien à moi, quelqu'un qui aurait la même voix, qui marcherait comme moi ?...

– Non, maman, je te promets, non.
– Non, maman. »

Nadia se contente de répéter ce que dit sa sœur – Laetitia est le porte-parole en général – mais la veille j'ai senti poindre une petite goutte de jalousie de sa part. Marouan riait plus avec Laetitia, il s'occupait un peu moins d'elle. Elle m'écoute très attentivement et ne me lâche pas des yeux.

« Toi non plus, Nadia, tu ne sais pas ?
– Non, maman.
– Toi, Laetitia, tu es plus âgée, tu pourrais t'en souvenir ? Tu l'as certainement vu chez mes parents adoptifs...
– Je te promets, non, maman.
– Alors voilà, c'est Marouan !
– Ah, mon Dieu, c'est Marouan, c'est lui avec qui on était hier soir ! »

Et elles fondent en larmes toutes les deux.

« C'est notre frère, maman ! Il était dans ton ventre !
– C'est votre frère, il était dans mon ventre et j'ai accouché toute seule. Mais je ne l'ai pas laissé là-bas, je l'ai ramené ici. »

Je me lance maintenant dans l'explication la plus difficile, celle du pourquoi de l'adoption. Je cherche mes mots, soigneusement, des mots que j'ai déjà entendus chez le psychiatre, « se reconstruire... », « s'accepter... », « redevenir une femme... », « redevenir une mère... ».

« Tu as gardé ça en toi pendant vingt ans, maman ! Pourquoi tu ne nous l'as pas dit plus tôt ?
– Vous étiez trop bébés, je ne savais pas comment vous alliez réagir, je voulais le dire quand vous seriez plus grandes, comme pour les cicatrices... comme le feu. C'est comme construire une maison : on met une brique

après l'autre. Si cette brique n'est pas solide, qu'est-ce qu'il se passe ? La brique tombe. Là, c'est la même chose, ma chérie. Maman voulait construire sa maison et je pensais que plus tard elle serait assez solide et assez haute pour y faire entrer Marouan. Sinon, elle pouvait s'écrouler, ma maison, et je n'aurais rien pu faire. Mais maintenant il est là. C'est à vous de choisir.

– C'est notre frère, maman. Dis-lui de venir à la maison vivre avec nous. Hein, Nadia ? On a un grand frère et je rêvais d'avoir un grand frère, je te l'ai toujours dit, un grand frère comme celui de ma copine. Et moi maintenant j'ai un grand frère, il est là, c'est Marouan ! Hein, Nadia ?

– Moi je débarrasse l'armoire et je lui donne aussi mon lit ! »

Nadia ne me donnerait pas un chewing-gum ! Elle est très généreuse, mais ne donne pas facilement ses affaires. Et pour son frère, elle l'a fait !

C'est étonnant, ce frère qui surgit de nulle part, et la voilà prête à tout lui donner...

Voilà comment le grand frère inconnu est entré dans la maison. Aussi simplement que de vider une armoire, et de donner son lit. Bientôt nous aurons une maison plus grande, il y aura sa chambre. Je suis assommée de bonheur. Ils passent leur temps à se téléphoner, à s'attendre, et je m'étais dit qu'ils ne tarderaient pas à se chamailler. Mais Marouan est le grand frère, il a pris immédiatement de l'autorité sur ses sœurs : « Laetitia, tu ne réponds pas à maman sur ce ton ! Elle t'a demandé de baisser le son de la télévision, tu le fais ! Tu as de la chance d'avoir tes parents, tu les respectes !

– Ouais, bon, excuse-moi, je le ferai plus, promis...
– Je suis pas venu ici pour qu'on s'engueule, mais papa et maman travaillent tous les deux. C'est quoi, cette chambre en désordre ?
– Mais on travaille dur à l'école, tu y es passé avant nous ! Tu sais ce que c'est !
– Oui, c'est vrai, mais c'est pas une raison pour traiter papa et maman comme ça. »

Et puis Marouan m'a prise à part :

« Maman ? Qu'est-ce qu'il pense, Antonio ? Ça ne l'ennuie pas si je dispute les filles ?
– Antonio est content de ce que tu fais.
– J'ai peur qu'il me dise un jour : “ Occupe-toi de tes affaires, ce sont mes filles... ” »

Mais Antonio n'a pas fait ça. C'est intelligent de sa part. Au contraire, il est très content de déléguer un peu de son autorité. Et le comble, c'est qu'elles obéissent mieux à leur frère qu'à lui ou à moi... Avec nous elles discutent, elles sont capables de claquer une porte, mais pas avec lui. Souvent je me dis : « Pourvu que ça dure... »

Parfois c'est un peu tendu. Laetitia vient se réfugier dans mon lit :

« Il m'énerve !
– Il a raison, comme ton père a raison. Tu réponds mal...
– Pourquoi il dit qu'il s'en ira si on ne l'écoute pas ? Et qu'il est pas venu pour nous engueuler... ?
– C'est normal. Marouan n'a pas eu ta chance, il a vécu des moments difficiles que vous n'avez pas connus. C'est important pour lui, des parents, c'est précieux une maman quand on ne l'a pas eue près de soi, tu comprends ? »

Si je pouvais me débarrasser de cette culpabilité qui revient à la surface encore trop souvent... Si je pouvais changer de peau... J'ai dit à Marouan que j'étais décidée à mettre notre histoire dans un livre, s'il en était d'accord.

« Ce sera comme notre album de famille. Et un témoignage sur le crime d'honneur.

– Un jour j'irai là-bas...

– Tu iras chercher quoi, Marouan ? La vengeance ? Le sang ? Tu es né là-bas, mais tu ne connais pas les hommes de là-bas. Moi aussi j'en rêve, moi aussi j'ai de la haine, je crois que ça me soulagerait d'arriver dans mon village avec toi et de leur crier : “ Regardez tous ! C'est Marouan, mon fils ! Nous avons brûlé, mais nous ne sommes pas morts ! Regardez comme il est beau et fort, et intelligent ! ”

– C'est mon père que je voudrais voir de près ! Je voudrais comprendre pourquoi il t'a laissée tomber, il savait ce qui t'attendait...

– Peut-être. Mais tu comprendras mieux quand ce sera dans un livre. Je dirai tout ce que tu ignores encore, et ce que beaucoup de gens ignorent aussi. Parce qu'il y a peu de survivantes, et parmi elles des femmes qui se cachent encore et pour longtemps. Elles ont vécu dans la peur et vivent toujours dans la peur. Moi je peux témoigner pour elles.

– Tu as peur ?

– Un peu. »

J'ai peur surtout que mes enfants, et Marouan en particulier, vivent avec l'épine de la vengeance. Que cette violence qui se transmet entre des générations d'hommes ait laissé une marque, même toute petite, dans son esprit. Lui aussi doit construire sa maison, brique par brique. Un livre, c'est bien pour construire une maison.

J'ai reçu une lettre de mon fils, d'une jolie écriture ronde. Il voulait m'encourager à entreprendre ce difficile travail. Elle m'a fait pleurer une fois de plus.

Maman,

Après tout ce temps à vivre seul, sans toi, te revoir enfin, malgré tout ce qui s'est passé, m'a donné l'espoir d'une vie nouvelle. Je pense à toi et à ton courage. Merci de nous faire ce livre. Il m'apportera à moi aussi du courage dans la vie. Je t'aime, maman.

Ton fils, Marouan.

J'ai raconté ma vie pour la première fois en m'efforçant de sortir de ma mémoire les choses les plus cachées. C'était plus éprouvant qu'un témoignage en public, et plus douloureux que de répondre aux questions des enfants. J'espère que ce livre voyagera dans le monde, qu'il arrivera jusqu'en Cisjordanie, et que les hommes ne le brûleront pas.

Chez nous, il sera bien rangé sur une étagère de la bibliothèque, et tout sera dit une fois pour toutes. Je le ferai relier dans un joli cuir pour qu'il ne s'abîme pas, avec de belles lettres dorées.

Merci.

Souad.
Quelque part en Europe.
31 décembre 2002.

Table

Transcontinental
IMPRESSION
IMPRIMERIE GAGNÉ

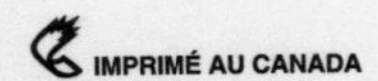
IMPRIMÉ AU CANADA